el feo

CARLOS CUAUHTÉMOC SÁNCHEZ

el feo

Una novela sobre personalidad e imagen

ISBN 978-607-7627-21-0

Mariano Escobedo No. 62, Col. Centro, Tlalnepantla
Estado de México, C.P. 54000, Ciudad de México.
Miembro núm. 2778 de la Cámara Nacional de
la Industria Editorial Mexicana.

Tels. y fax: (55) 55-65-61-20 y 55-65-03-33
Lada sin costo: 01-800-888-9300
EU a México: (011-52-55) 55-65-61-20 y 55-65-03-33
Resto del mundo: (00-52-55) 55-65-61-20 y 55-65-03-33
Correo electrónico: info1@editorialdiamante.com
ventas@editorialdiamante.com
Diseño de portada y formación: L.D.G. Leticia Domínguez C.

www.editorialdiamante.com
www.carloscuauhtemoc.com

IMPRESO EN MÉXICO / PRINTED IN MEXICO

Agradecimientos

Nada puede hacer sentir más halagado y agradecido a un escritor que ver a alguien leyendo un libro suyo. Los autores escribimos para ser leídos. Sin la consumación de ese *para qué*, todo el proceso previo resulta inútil. Así que tú eres, querido lector o lectora, quien le da sentido a mi labor. Me fascina saber que en algún lugar alejado de la sala en la que me encuentro, estás leyendo las palabras que yo tecleo. Por eso, cuando pensé a quién debo agradecer la motivación, la inspiración y la creación de esta obra, viniste a mi mente tú, en primer lugar.

Gracias.

También quiero agradecer de forma específica a mis asesoras (mujeres de conquista) que han leído y corregido mis borradores desde hace años:

Ivonne, no solamente has sido la primera en analizar los proyectos de cada uno de mis libros para mejorarlos y en algunos casos hasta censurarlos, también me has acompañado en los largos procesos de encierro y has sido el alma y la piel que me brindan cariño cuando quedo agotado. Gracias, amor.

Mamá, tú me enseñaste a escribir y labraste en mi mente la pasión por llegar a ser un autor. Desde que yo era un niño, has sabido decirme las palabras de aliento perfectas para impulsarme a escribir más y mejor. Sin ti, nada de lo que he hecho existiría. Gracias.

Lili, no conozco otra mujer empresaria, ejecutiva exitosa, madre y esposa ejemplar, como tú; por eso las opiniones que me das cuando lees mis libros antes de que se publiquen son invaluables. Te admiro y te quiero.

Pili, aunque estés lejos te siento cerca, eres parte de mí y tus recomendaciones siempre me hacen crecer. Te amo.

Paty, gracias por inyectar a todo el equipo editorial la pasión y el amor por hacer bien las cosas. Eres una editora excepcional, líder de valores en México y excelente consejera.

Lety, sé que haces más de lo que te corresponde, cuidas con esmero el proceso para el diseño e impresión de los libros y eres copartícipe del mensaje que damos. ¡Gracias, Pecas!, te quiero.

Tere, reservo la última versión de mis libros, antes de imprenta, para que tú la leas y siempre me sorprendes hallando detalles que debo corregir. Has enriquecido mi trabajo desde que te conozco, pero sobre todo has enriquecido mi vida con tu amor.

Bety, gracias por cuidarme y protegerme (no exagere). Más que mi representante de relaciones públicas, es mi amiga.

Para este trabajo, le doy las gracias especialmente a Keyla Ochoa. Keyla, tu investigación sobre *la belleza* fue la columna vertebral de mi novela. Te admiro.

Marlyn, Aurora, Erika, Margarita, Mayra, Vero, Soco, Paty, Rocío, Silvia, Bertha, Ana, Nancy, Yolanda y Lulú gracias por estar al pie del cañón todos los días. Lo que hacen es maravilloso. Las valoro y admiro con todo el corazón.

A mis asesores, hombres, no los menciono, porque sé que son sentimentales y no quiero causarles un llanto innecesario. Gracias por su amistad.

Carlos Cuauhtémoc Sánchez.

Introducción

Para escribir el Feo me transformé en él. No fue agradable para mi familia ni amigos. Por semanas enteras estuve encerrado, escatimando el baño, el rastrillo de afeitar y los cuidados elementales que todo ser social debería darse. Pero no sólo me transfiguré físicamente, también me zambullí en la psicología de mis personajes y sufrí con ellos cada una de sus trágicas experiencias. Eso afectó mi vida. Soy una persona diferente antes y después de *El feo.*

Al escribir este libro entendí con plenitud lo que significa ser feliz: no querer que se acabe el día para poder seguir trabajando, caer exhausto, dormir apenas unas horas y en cuanto sobrevienen las primeras luces de conciencia, levantarse entusiasmado e irse directo a trabajar más. Fui viviendo la metamorfosis de mis personajes y aprendí con ellos a cambiar mi propia personalidad *de adentro hacia fuera.*

Para escribir este libro puse en un solo sector de mi mente recuerdos emocionantes de algunos viajes que he realizado buscando inspiración: los increíbles paisajes de Chiapas, los pantanos en Florida, las hormigas de fuego en el Amazonas, los insólitos *ziplines* en Kawai, las mujeres desdentadas en el Masai Mara, las aguas cristalinas del lago Inle en Myanmar... puse todo eso, más algunas cartas desgarradoras de mis lectores y mi propia experiencia personal en un recipiente creativo, le di vueltas, y pude ver el nacimiento de una obra que me dejó fatigado y extasiado. *El feo*, no se basa, como otras novelas, en hechos reales, sin embargo, tiene más vida que cualquiera.

Para alivio de mi esposa y tranquilidad de mis amigos, he salido del escondite, me he bañado y rasurado; he vuelto a estar presentable, pero sobre todo, me siento renovado. Soy infinitamente feliz al poder hacer lo que hago y compartirlo.

Con esta espontánea introducción quise participar un atisbo de las emociones que me embargaron al escribir la novela que está a punto de leer; podría resumirlas en tres palabras: *La disfruté mucho*. Pero en cinco palabras finales podría decirle a mi lector lo único que en realidad me interesa: *Espero que la disfrute también*.

CCS

1

Estoy terminando de impartir el seminario de tesis cuando llega uno de los vigilantes a tocar la puerta del aula.

—Profesor, el *Grupo Revolucionario Estudiantil* cerró la facultad; le recomiendo que ni usted ni sus alumnos salgan hasta que pase el alboroto.

Le doy las gracias, vuelvo a mi escritorio, reniego, hojeo el libro buscando otro ejercicio para alargar la clase; no lo encuentro, opto por usar uno de los recursos más viejos de los maestros: propiciar un debate.

—¿Qué opinan del *Grupo Revolucionario Estudiantil*?

De inmediato llueven sentencias.

—¡Son una pandilla de camorristas descerebrados!

—¡Es vergonzoso que se digan estudiantes!

—¡Están llenos de frustraciones; todo lo arreglan a golpes!

—Sus siglas GRE, parecen un gruñido.

—Sin embargo —alguien los defiende—, tienen derecho a expresarse; debemos ser tolerantes con ellos; usan medidas extremas porque no han sido escuchados por las vías legales.

—¡Pero qué idiotez! —responden otros—, los del GRE son alborotadores destructivos, ¡la policía antimotines debería barrerlos con agua a presión!

En ese instante aparece Kidori, la graciosa alumna de origen japonés que ha ganado varios premios académicos.

—¡Profesor!, venga; haga algo.

—¿Qué sucede?

—¡Rápido!, Por favor. Están golpeando a Oscar; lo van a matar.

—¿Qué dices? —salgo del aula—. Debe haber algún error.

—Sígame. ¡Es una masacre!

Reacciono con movimientos torpes, intimidado ante la perplejidad. ¿Por qué iban a querer golpear a mi sobrino?, Oscar es un muchacho discreto, estudioso, nunca se mete en problemas...

Como me desplazo pesadamente, Kidori me toma del brazo para jalarme.

—Venga, ¡pronto!

Me dejo llevar por la chica hasta la puerta de la universidad; hay mucha gente empujándose, gritando; el tumulto me impide ver más allá de la primera barrera humana.

La japonecita se abre paso sin soltarme.

Si se tratara de otra chica, no me arriesgaría a meterme ahí, pero Kidori es una persona digna de confianza. Fue cuatro años novia de Oscar, y por lo que sé, aún lo quiere.

Coordino un departamento universitario; procuro mantenerme alejado de los problemas personales de los estudiantes, pero hace tiempo mi cuñada llegó a verme para pedirme que asesorara a su hijo quien estaba a punto de inscribirse en la facultad donde yo trabajaba; acepté gustoso, porque deseaba apoyar tanto a mi sobrino como a la hermana de mi esposa.

—¡Kidori! Es peligroso venir aquí —los ánimos están enardecidos; recibimos pisotones y empellones—, ¿segura que Oscar tiene problemas?

Kidori voltea a verme con el rostro enrojecido. Se desgarra la garganta al gritarme con una mezcla de llanto y reclamo.

—¡Oscar se enamoró de Tábata!, ¡usted conoce a Tábata!, anda con el dirigente del GRE...

Claro que conozco a Tábata; ¿quién no?, es famosa: trabajó como modelo; alta, morena, de ojos verdes y cuerpo escultural; ha tenido varios pretendientes y todos saben que ahora sale con Luciano el Loco, el perdonavidas más desgraciado del grupo revolucionario. No concibo que Oscar se haya atrevido a desafiar a ese sujeto tratando de quitarle a la novia. Esto no me gusta nada.

Seguimos abriéndonos paso entre la turba. De pronto, los alborotadores comienzan a alejarse como si estuvieran asustados por algo que no podemos ver; las personas corren en direcciones opuestas. Mendel aparece frente a mí, está sangrando, lo han golpeado también.

—¿Qué te pasa, muchacho?

—¡Oscar!; lo picaron...

—¿Cómo?

Mendel se toma de los cabellos y lanza un grito de coraje; baja las manos como garras de la cabeza hasta la cara y se rasguña las mejillas.

—Lo picaron, lo picaron —exclama con una mezcla de rabia y terror.

Mendel Yépez es el mejor amigo de mi sobrino; aún diría que son como hermanos porque Oscar le ha dado hospedaje en su casa y mis cuñados los tratan a ambos como a dos hijos. Sigue gritando. Está fuera de sí. Lo tomo por los hombros y lo sacudo.

—Mendel, ¿qué te pasa? ¿Dónde está Oscar?

Apenas puede articular palabras.

—Allá... ¡fue con un picahielos! Le dieron en el corazón.

La gente que tenemos frente a nosotros acaba de disiparse. Sólo quedan algunos curiosos listos para huir también. Al fin veo a mi sobrino. Está tirado en el pavimento. Tiene la boca abierta y ambas manos sobre el pecho. Ha dejado de moverse.

A unos metros, pálida, intimidada, paralizada se encuentra Tábata, la chica que ocasionó todo...

Mi visión se nubla, da vueltas. Creo que estoy soñando.

Mendel camina cojeando hasta Oscar; hace un esfuerzo por levantarlo.

Los jóvenes se siguen dispersando.

La sirena de una ambulancia trepana nuestros tímpanos.

Mendel llora y abraza el cuerpo de su mejor amigo. A un lado Kidori, la chica que acaba de perder al único amor de su vida, emite horrísonos alaridos; detrás de ellos, con los ojos muy abiertos, y los labios apretados, como si guardara la respiración, sin poderse mover, la modelo, Tábata.

2

El rector de la universidad me ha mandado llamar; su secretaria le avisa y paso casi de inmediato. Me alegro de la celeridad; odio hacer antesala.

—Tome asiento, profesor —me invita—, ¿gusta un vaso con agua?

—No, gracias.

—¿Cómo está?

—Mal —contesto—, muy mal; no me acostumbro a lo que pasó; desde hace varias semanas mi vida es un infierno.

—Lo imagino; pero el tiempo cura todas las heridas. ¿Hay alguna forma en que pueda ayudarlo?

Permanezco callado; no esperaba que mi jefe me preguntara eso. La universidad mandó flores y una carta de pésame a mi familia ¿qué más podía hacer? Sugiero con voz taciturna:

—Usted, como rector de esta importante casa de estudios, puede presionar a las autoridades para que no vayan a dejar libre al tipo que…

Me cuesta trabajo decirlo; el concepto es casi imposible de creer; como cuando ves las noticias y piensas *eso nunca me sucederá a mí.*

—Luciano al que le dicen *el Loco* no saldrá libre en años, hubo muchos testigos del crimen.

Saber eso debería al menos causarme un poco de consuelo. No es así. Por mucho que castiguen al homicida, mi sobrino no recobrará la vida.

—Qué estupidez —digo con pena—, ¿no le parece? Oscar era un joven entusiasta, de gran potencial; no debió morir.

—Opino lo mismo, profesor. Es un absurdo, un sinsentido amargo. Por otro lado, desde que ocurrió la tragedia de su sobrino y encarcelaron a Luciano, se deshizo el GRE. La universidad se ha librado de esos sediciosos. Incluso rescatamos a algunos muchachos que pertenecían al grupo y estamos ayudándolos a volver al buen camino, por ejemplo Narciso Rizo ¿lo recuerda? Es todo un caso. Narciso fue un estudiante que se unió al GRE y ahora ha regresado a las aulas.

—Ah, qué bien, felicidades. Seguro que eso justifica la muerte de Oscar.

—Nada la justifica, profesor, pero los crímenes pasionales son ancestrales. Problemas *de faldas* han sido motivos de pleitos entre hombres desde hace miles de años.

Frunzo los labios. Su comentario me parece imprudente y hasta sarcástico. ¿Cómo se atreve a filosofar sobre el tema y aún decir que gracias a la muerte de Oscar, un delincuente como Narciso Rizo, el musculoso descerebrado golpeador del GRE, ha decidido estudiar ortografía? Agacho la cara y aprieto los párpados. Tengo una herida tan profunda en el alma que me niego a discutir el asunto como si se tratara de los planes para la próxima ceremonia cívica. Mi jefe se da cuenta.

—Disculpe por abordar esta cuestión con tanta franqueza —me dice—, pero en el sepelio estuve observando a su familia. Me percaté que son fuertes y saben tomar las tragedias con estoicismo. Los admiro...

No soporto más.

—Señor rector, perdone mi impaciencia, pero tengo mucho trabajo. ¿Para qué me mandó llamar?

El hombre se pone de pie y señala un cuadro de fotografías colgado orgullosamente a la diestra de su escritorio.

—Acérquese por favor. Vea estos retratos. Fueron tomados en nuestro campamento de personalidad. Los muchachos se sometieron a un entrenamiento exhaustivo en aras de mejorar la imagen que proyectan. La fotografía me encanta —ríe de manera forzada—; los chicos enfrentaron retos, se llenaron de tierra, hicieron excursiones, nadaron en un río de la selva, escucharon conferencias y se reunieron por las noches alrededor de una fogata para reflexionar. Observe: así llegaron al campamento. ¡Vea sus rostros!; parecían cenizos, reflejaban apatía (aunque se habían peinado y arreglado para ingresar), tenían un gesto desagradable. Ahora, vea estas fotos después de la experiencia: sucios, sudorosos ¡pero con una chispa de gracia en su mirada!, se notaban alegres, entusiastas, bien parecidos —vuelve a su sillón de piel y me indica con la mano que regrese también a mi silla frente a él—. ¿Qué le parece?

Arqueo las cejas; estoy en ascuas; en este momento los campamentos escolares me interesan tanto como los gases cósmicos expelidos por la galaxia de Andrómeda. Por otro lado, no tengo fuerzas para mantenerme a la ofensiva. Cargo sobre mis hombros una terrible loza de piedra que hasta me corta la respiración por las noches cuando trato de dormir. Con frecuencia me embarga el deseo de llorar y salir corriendo. La tristeza me hace perderme en pensamientos aciagos. Se suponía que yo debía cuidar y asesorar a Oscar, pero no lo hice; ni siquiera me di cuenta de que andaba en problemas, (aunque me cueste trabajo reconocerlo) *de faldas*. Siento que le fallé a mi cuñada, a mi esposa, a toda la familia, a mí mismo, pero sobre todo a mi sobrino.

El rector mueve una mano frente a mí, como hacen los hipnotistas para despertar a sus pacientes.

—Profesor Pablo, ¿está usted aquí?

—Sí, disculpe, últimamente me distraigo con facilidad.

—Lo entiendo; imagino el estrés que siente.

—Con todo respeto, señor, no creo que pueda imaginarlo.

Me observa circunspecto, luego acota con su peculiar voz agrietada:

—Vayamos al grano, profesor; lo he mandado llamar para informarle que he decidido enviarlo como representante directivo a nuestro próximo campamento.

—¿Qué? —intento protestar—, ¡yo soy coordinador de literatura, nunca he..!

—Lo sé, lo sé —me impide terminar la frase—, usted está ajeno a este tipo de actividades al aire libre, pero hay dos razones muy concretas por las que he decidido asignarlo. Como acabo de mostrarle, los asistentes se someten a ejercicios que afectan la imagen que proyectan, porque ¿sabe usted?, todo lo que reflejamos en nuestra apariencia obedece a una compleja enramada de ideas y recuerdos. La dinámica del campamento les permite reflexionar sobre hechos pasados y futuros de su vida; es ideal para personas que han sufrido daños emocionales.

—¿Cómo yo?

—Sí, profesor, como usted y como varios de los compañeros y amigos más cercanos de su sobrino. Esa es la segunda razón por la que quiero que vaya. Entre los condiscípulos de Oscar hay pesimismo, desánimo, temor, confusión. Hemos identificado a cuatro jóvenes especialmente lastimados por la muerte de Oscar. Quiero que usted sea el asesor de los cuatro.

—¿Para qué?

—Ayudándolos a ellos se ayudará usted mismo.

—Mejor hábleme claro; me quiere alejar de la oficina ¿verdad?

—En parte sí, pero ese no es mi interés principal. Quiero sacarlo del hoyo en el que está. Usted enseñará temas nuevos y, como lo ha comprobado a lo largo de muchos años, quienes enseñan son quienes más aprenden.

—¿Imagen y personalidad? —me río—, ¡por favor!; yo no necesito eso.

—Claro que lo necesita; mírese al espejo; su forma de vestir, asearse (o mejor dicho, no asearse), caminar y hablar, discrepan a las propias de un coordinador en nuestro claustro profesoral.

Sonrío con irritación.

—¿Le molesta mi atuendo? Aunque no visto de negro, estoy de luto, por si no se ha dado cuenta.

—Sí, señor, lo he notado. Ha estado de luto por varias semanas, igual que los cuatro alumnos a quienes usted se dedicará a ayudar en el próximo campamento. Estos son sus nombres, fotografías e historial. Seguro que los conoce...

Bufo tratando de controlarme. Tomo el paquete que me entrega. Son como cien hojas engargoladas; las reviso de manera rápida, me detengo en los retratos de los cuatro jóvenes a quienes supuestamente deberé asesorar. De inmediato percibo un vacío en el estómago; me inclino un poco, ¡es increíble!, ¡yo no puedo guiar a esos cuatro muchachos! ¡No a ellos!

Kidori, Mendel, Tábata y Narciso.

3

Subo al avión. El rector ha ordenado, para mí, un boleto en primera clase. Su gesto me halaga y lastima a la vez. Pienso que de alguna forma quiere congraciarse y restituirme con atenciones materiales algo que no puede ser restituido: la vida de un familiar.

El avión va lleno de alumnos y maestros, todos en clase económica. Sólo yo viajo en la sección ejecutiva.

La azafata me ofrece una bebida, le pido agua. Saco el legajo de hojas engargoladas que contiene información del campamento al que me dirijo: material para mentores, lecciones a impartir, descripción de dinámicas, datos de logística y referencias de mis cuatro pupilos. Al abrirlo, encuentro una pequeña carta para mí, escrita por el rector de la escuela.

> Profesor Pablo:
>
> Espero que le agrade estar en contacto con la naturaleza. El lugar al que se dirige tiene bellos paisajes en medio de un entorno selvático. Hace apenas un año, la universidad consiguió los permisos para construir cabañas en esa reserva federal y nuestro primer campamento fue muy exitoso. Espero que éste, segundo, también lo sea. Le parecerá extraño que hayamos elegido como tema central la asignatura de *Personalidad e imagen.* De hecho, es obligatoria para todos nuestros alumnos, pero ahora, en vez de llevarla en un semestre completo, los interesados pueden cursarla en un retiro de dos semanas. Como se imaginará, la opción ha tenido mucha demanda.
>
> En la oficina quise explicarle nuestra lógica didáctica, pero usted estaba distraído: nos basamos en la premisa de que cuanto

las personas reflejamos en el exterior proviene del interior. La imagen que proyectamos es una cuestión de creencias y sentimientos: Mostramos al mundo, sin palabras, nuestras ideas y expectativas; por lo tanto, para mejorar la personalidad de alguien es preciso trabajar con sus pensamientos; y nada mejor para ello que un lugar retirado.

Por favor, estudie el material del curso y apréstese a fungir como asesor directo de los cuatro jóvenes que he situado bajo su tutela. Por otro lado, dado que usted es escritor y ha publicado novelas de ficción, quiero pedirle que redacte una reseña de todo lo que suceda durante el curso.

Los profesores Leoncio Ayala y su esposa Gabriela, líderes del campamento, ya han sido avisados de lo que usted hará y le darán todas las facilidades. Espero que por su parte, halle material de inspiración en todos los sentidos.

Le deseo mucha suerte.

Dr. Carlos Z. Badillo

Leo la carta dos veces. Su forma me hace recordar aquella vieja serie de televisión en la que osados agentes secretos tomaban un vuelo hacia lo desconocido y en el trayecto recibían un mensaje en el que se les encomendaba una misión imposible. Sonrío esperando que la carta se autodestruya en cinco segundos, pero permanece íntegra.

La azafata abre mi mesita, pone una taza de cacahuates tostados y un vaso de cristal con agua. Pongo la libreta por un lado y busco las fotografías de mis cuatro alumnos. Leo de forma rápida y superficial:

Mendel Yépez. Le apodan El Feo. Veintitrés años; tiene una grave cojera, secuela de poliomielitis; presenta frecuentes trastornos de sueño como sonambulismo o insomnios que compensa durmiendo en espacios encerrados. Su padre es un militar prófugo, acusado de traición a la patria. Su madre murió. Actualmente vive como huésped en la casa de Oscar Briceño (el joven asesinado).

Kidori Emi. Veintidós años. Hija única. Sus padres llegaron de Japón hace treinta años y emprendieron varios restaurantes. Kidori ha trabajado de mesera y cajera en los negocios familiares. Es una chica de aspecto oriental pero de mentalidad latina; extrovertida, líder y muy sobresaliente en los estudios; fue cuatro años novia de Oscar Briceño.

Tábata Sosapavón. Veinticinco años. Trabajó como modelo en una importante revista de modas. Ha sido inconstante en sus estudios; cambió tres veces de universidad. Presenta episodios depresivos por haber sufrido abuso sexual. Tuvo relaciones afectivas con Oscar Briceño siendo, al mismo tiempo, pareja de Luciano Lorenzo, asesino confeso de Oscar.

Narciso Rizo. Veintisiete años. Centrado en sí mismo (hace honor a su nombre); proclive a las malas palabras, agresivo, incapaz de seguir órdenes o respetar autoridades, adicto al alcohol y a las bebidas energizantes. Aficionado al físicoculturismo. Abandonó los estudios varias veces para unirse a pandillas subversivas, entre ellas el *Grupo Revolucionario Estudiantil.*

¡Vaya combo!

Es evidente que esos cuatro especímenes se conocen entre sí. Me pregunto si estarán enterados de que van a convivir juntos durante dos semanas. Muevo la cabeza y arrugo los ojos. Esto es irracional, peligroso, insano. ¡El director de la escuela ha perdido los cabales!

Iniciamos el descenso. Pienso en mi sobrino; ¿por qué se enamoró de una mujer como Tábata?, ¿acaso no se dio cuenta que la chica tenía compromisos con hombres de escaso cerebro y pésima reputación? ¿Por qué cortó su relación con Kidori, una de las jóvenes más maduras e inteligentes de la escuela? ¿Cómo fue que Mendel, su mejor amigo, no detectó el peligro y pidió ayuda? ¿Por qué no me enteré de lo que sucedía? ¿Dónde estaba yo cuando mi sobrino necesitó un consejo?

El avión aterriza.

Alumnos y maestros auxiliares me miran con cierto recelo.

Afuera del aeropuerto nos esperan dos autobuses particulares para llevarnos al campamento. Los abordamos. Cuento a los pasajeros. Somos ocho asesores y cuarenta y nueve alumnos. Más o menos mitad hombres y mitad mujeres.

Emprendemos el viaje por tierra.

Éste ha sido un año de fenómenos meteorológicos inusuales: primero la sequía más prolongada en mucho tiempo y después lluvias que causaron inundaciones desastrosas. Algunos ríos de la zona se han desbordado. Nos vemos obligados a tomar rutas más largas. Buena parte del recorrido lo hacemos sobre lodo; pasamos charcos y arroyos de dudosa profundidad. En uno de ellos estamos a punto de atascarnos.

Mendel se marea. Pide permiso para bajar del autobús y vomita. Vuelve a subir; se ve pálido. Emprendemos el camino de nuevo. Un chubasco nos sorprende en la ruta. Eso incrementa nuestra tensión. Mendel vuelve a sentirse mal. Esta vez no alcanza a bajar. Como a pesar de su cojera no usa bastón, cuando trata de acelerar el paso, se tropieza. Su vómito ensucia el pasillo y nos salpica a algunos de los que tenemos la mala suerte de estar cerca.

Tres horas después, llegamos a las instalaciones en medio de la selva alta perennifolia.

4

Asqueados, bajamos del autobús a toda prisa; instamos a Mendel a cambiarse de ropa. Me sorprende descubrir que sólo trae una pequeña mochila.

—¿Éste es todo tu equipaje? —le reclamo—. ¿Por qué?

Se encoje de hombros y me da la espalda. Pienso en cuán desagradable es ese joven y me pregunto como fue que mi sobrino lo hizo su mejor amigo (casi hermano).

Abro la bolsa de Mendel; sólo trae cuadernos y un cepillo de dientes.

—¿Dónde está tu *sleeping bag*, tu jabón, toalla y ropa esencial? ¡Se te dio la lista de requerimientos! Mendel, te estoy hablando, ¿por qué no volteas a ver?

Lo hace; descifro una mirada decrépita; parece a punto de desmayarse.

—¿Te sientes bien?

—Me hizo mucho daño lo que comí anoche.

—Lo imagino —insisto—, ¿estás bien?

—Sí... creo... Profesor, yo no quería venir a este campamento, pero el rector de la escuela me mandó llamar y me dijo que era obligatorio para mí. Acepté por compromiso. Planeaba estar aquí un par de días, poner cualquier excusa y regresar.

—Vaya —respondo aturdido—, gracias por la confesión, pero ¿ya te diste cuenta dónde estamos? ¡No podrás regresar!

—Jamás creí que fuera tan lejos.

—Y ahora ¿qué vas a hacer sin ropa ni cobijas?

—Sobreviviré.

—Pero hueles a vómito, necesitas cambiarte.

—¿Usted me puede prestar una camisa?

Se lleva la mano al abdomen y se crispa como si estuviese a punto de devolver otra vez.

Voy a mi maleta; saco una playera limpia; se la doy.

—Pregunta a los edecanes donde hay un baño y dúchate.

El joven se va. Me paro en medio del lugar, respiro hondo y trato de relajarme. Se escucha la resonancia de un río cercano; parece muy caudaloso. El sitio es exótico, casi mágico. Hay una planicie central extensa con mesas de madera al aire libre; al fondo dos recintos rectangulares hechos de bambú, techados con hojas de palma. Uno debe ser el salón plenario y el otro, el comedor. Según sé, también hay diez cabañas escondidas entre los árboles, pero esas no puedo verlas.

Camino hacia el que parece ser el salón principal. Entro. Dos niños nativos de la selva están terminando de quitarle a las sillas un forro de plástico. Por lo visto, el mobiliario es nuevo y ellos se encuentran encargados de dejarlo listo para la primera sesión. Me comido a ayudarles. Al terminar, agarran la mayor cantidad de desperdicios plásticos que pueden y salen corriendo. Como no han podido llevarse todo, tomo el resto y voy detrás de ellos.

Caminamos hacia la parte trasera de la explanada por un largo tramo de tierra. En la hondonada donde acaba el terreno accesible hay tres bodegas de madera que fungen como vertedero; tienen chapa automática y están herméticamente cerradas para evitar que los animales las saqueen; huelen a comida putrefacta; les pregunto a los niños de la selva quiénes y cada cuando recogen esa basura; no me contestan; ríen y corren de regreso al salón. Vuelvo sofocado.

Los autobuses se han ido. Una hilera de equipaje ha quedado sobre el césped. Dentro del salón se escuchan pruebas de sonido; los profesores han tomado asiento en las sillas laterales y los alumnos al centro. Entro a la junta. Hay luces, equipo de sonido, estrado, podium y hasta un proyector con su pantalla. Admiro el ingenio de quien diseñó este sitio.

Casi como si salieran tras bambalinas de un teatro neoyorquino aparecen Leoncio y Gabriela Ayala; líderes y coautores del concepto. Se presentan.

Gabriela es achispada y agraciada. Pide que le digan Gaviota porque es su ave favorita. La observo: mujer rubia, de edad incierta, (¿alrededor de los treinta?), vestida con pants y tenis como entrenadora de un equipo deportivo juvenil.

Leoncio tiene la apostura de guía excursionista; dice que su animal favorito es el león y asegura haber vivido con los Yanonamis en la selva del Amazonas. Leoncio es un hombre atlético, entusiasta y confianzudo, usa botas para campo traviesa, ropa de cazador y un corte de cabello demasiado juvenil para sus (a ese sí le calculo) casi cuarenta años.

Después de darnos la bienvenida, los líderes nos previenen de insectos y animales peligrosos que podemos ver merodeando, nos dan una pequeñas bolsas con cierre para que pongamos en ellas nuestros celulares. Estará prohibido hablar por teléfono en dos semanas. Algunos, adictos al móvil (me incluyo entre ellos), lo entregamos con temblor y angustia.

—Las cabañas en las que se hospedarán —explica Gaviota—. Tienen una terraza y tres habitaciones con dos camas individuales cada una. Dormirán por parejas. Las parejas ya están asignadas. En cada cabaña se hospedarán cinco estudiantes y un asesor; los asesores son maestros jóvenes que coordinarán las actividades, participarán en todas las dinámicas de su cabaña y se reunirán para charlar con su equipo por las noches en las terrazas. Ésta es la asignación de habitaciones —comienza a mencionar el nombre de los mentores; pasamos al frente a recibir nuestra lista de pupilos; cuando me entregan la mía, Leoncio dice en voz baja—. Bienvenido, profesor Pablo; tú sólo te encargarás de cuatro jóvenes —me guiña un ojo—, ya nos informaron que tu grupo es especial.

—Mmh —gruño.

Nos corresponde la cabaña número tres. Llamo a mis alumnos y les asigno sus habitaciones. En un cuarto dormirán Kidori y Tábata, (¡las dos exnovias de Oscar!), y en otro, Narciso y Mendel; yo estaré solo.

—¡Protesto! —exclama Narciso—. ¡No quiero dormir con el Feo!

—Ni modo —respondo—. Es la disposición que nos dieron.

—¡En el cuarto de usted también hay dos camas! ¡Comparta con él y déjeme a mí solo!

—Negativo. Aquí aprenderás a acatar órdenes.

—¿Usted busca problemas desde el inicio? A mí me gustaría llevar la fiesta en paz. ¡Yo no duermo con hombres, mucho menos si apestan!

La ostentosa musculatura de Narciso me hace vacilar.

Mendel, a mi lado, susurra:

—Yo preferiría compartir el cuarto con usted, profesor.

No me agrada empezar el retiro dejándome intimidar, pero reconozco que ya estoy intimidado.

Leoncio baja del estrado y llega hasta nosotros.

—¿Algún problema?

—Narciso no quiere respetar la asignación de cuartos.

—Lo siento —dice el líder—, la suya es la única cabaña mixta y el acomodo me lo enviaron desde la rectoría. Así que no hay cambios. Todo mundo se adapta con la mejor actitud posible. ¡Ánimo! —le da una fuerte palmada al fortachón en la espalda y regresa al estrado.

Narciso acepta la derrota momentánea, pero veo en sus ojos bravucones un peligroso resentimiento contenido. Él hará que Leoncio y yo nos arrepintamos de haberlo contradicho.

5

Los estudiantes van a hospedarse mientras los profesores permanecemos en una reunión de trabajo.

Siento que desencajo; todos saben que soy un académico y se adivina que estoy en mala forma física. Gaviota pide que nos presentemos. Cuando lo hago, ella agrega:

—El maestro Pablo viene como delegado directivo de la universidad; también será mentor en la cabaña número tres, y por si fuera poco escribirá un informe sobre lo que suceda aquí.

Me escudo en una sonrisa tímida. Los maestros me miran con una mezcla de curiosidad y recelo. El comentario, lejos de contribuir a mi inclusión al grupo, me separa más.

Una hora después, llegan los estudiantes para la primera sesión plenaria. Se acomodan en las sillas haciendo un gran alboroto. Casi a la zaga de todos entra Mendel. Por lo visto no se pudo bañar, sólo se echó agua en la cara. Está amarillo, desaliñado, trae puesta mi camisa.

Como los maestros no hemos terminado la junta, apretamos nuestras sillas alrededor de Leoncio y Gaviota para escuchar sus últimas instrucciones. Sigo sin poder concentrarme; reparo que los jóvenes se ríen de Mendel y le hacen viejas bromas gastadas, pero con tal humor que suenan divertidas.

—Lo malo de que Mendel esté en el campamento es que, por las noches, los coyotes van a prender fogatas para que no se les acerque.

Risas discretas. Alguien más contribuye:

—Cuando Mendel nació, su madre no sabía si quedarse con él o con la placenta.

A la broma le siguen más; las carcajadas se suceden.

—Y el doctor dijo: si no llora en diez segundos, es un tumor.

—Después, cuando lloró, el doctor lo aventó al aire y dijo: si vuela, es un murciélago.

—¡Y como no voló, el doctor lo metió al agua y dijo: si nada es un cocodrilo!

—Cuando visitó el zoológico, los monos le tiraban galletitas.

Toda la audiencia ha estallado en risas. Alguien más comenta:

—Una vez, Mendel iba a suicidarse aventándose de un edificio; cuando el psicólogo llegó y lo vio, le dijo: en sus marcas, listos, fuera.

Las risas no paran. Kidori se pone de pie con una valentía inusitada para su pequeñez y exclama a todo pulmón:

—¿Qué les pasa? ¡Tarados! ¡No parecen universitarios! ¡Dejen a Mendel en paz!

El jolgorio disminuye. Kidori consuela a su amigo. Leoncio corta la junta de maestros y se levanta. Poco a poco se hace el silencio.

Observo a Mendel de hito en hito. Parece frustrado, lleno de odio e ira secreta. Advierto por qué le dicen el Feo: Tiene una pierna más corta que otra, estatura pequeña, cuerpo en forma de pera, piel morena, cabello lacio (y sucio), nariz aplastada, labios asimétricos ligeramente torcidos, cuello corto, frente chica y acanalada por arrugas prematuras... Sin ser monstruoso, resulta evidente que carece de toda belleza física.

Leoncio observa a su audiencia con preocupación. En vez de regañar, opta por entrar en materia:

—En nuestro curso vamos a estudiar algunas teorías que desafiarán su forma de pensar. Aquí aprenderemos que la belleza humana proviene de un complejo sistema de pensamientos y conductas. El objetivo de estas dos semanas es que ustedes enriquezcan su mente de tal forma que desarrollen una personalidad magnética, y eso no depende de la estatura, el color de piel o el tamaño de las orejas... Para comenzar, analicemos las ideas que nos han enseñado; ¿alguien puede decirme qué entiende por *belleza*?

Una joven levanta la mano.

—¿Lo que nos produce deleite a la vista?

—Sí, ¿alguien más?

—¿Propiedades que nos infunden atracción?

—De acuerdo, se dice que una persona bella es atractiva y el prefijo *atrac* significa que *atrae* las miradas, *atrae* a los demás... La belleza abre puertas. El gran aforismo social asegura que como te ven te tratan, ¡y todos queremos ser bien tratados! Una persona atractiva recibe más oportunidades; a la chica hermosa, la gente le sonríe y le da el paso, al galán se le brindan mejores beneficios —hace una pausa para pedirnos a sus auxiliares que repartamos las carpetas con el material impreso—. Bien —dice—. Durante las próximas dos semanas nos concentraremos en cómo mejorar nuestra personalidad para ser mejor vistos y por ende, mejor tratados. Ahora, quiero que mediten en esta declaración: Los hombres más trascendentes de la historia no eran físicamente hermosos; Cuauhtémoc, Bolívar, Benito Juárez, Gandhi, Mandela, Churchil, Luther King, Lincoln, la madre Teresa, y hasta el mismo... —se detiene como si estuviese a punto de decir un secreto innombrable cuya revelación podría llevarlo al cadalso, culmina—, hasta el mismo Jesucristo carecía de belleza física.

Si Leoncio deseaba llamar la atención, lo ha logrado. Nuestra universidad fue fundada por sacerdotes y aunque actualmente la enseñanza que se imparte en la institución es laica, no se admiten escarnios en contra de los símbolos de la fe. Así que aclara de inmediato:

—Literalmente está escrito en el libro de Isaías: «No tiene aspecto hermoso ni majestad para que le miremos, ni apariencia para que le deseemos».[1] La declaración dice *qué* y *para qué* ¿Cómo pudo lograr que multitudes lo buscaran y escucharan embelesadas? La respuesta es simple. A pesar de que su físico no era bello, *cautivaba*. Tenía un magnetismo que lo hacía atrayente. Como te ven te tratan, es verdad, pero siempre y cuando no olvidemos que la gente ve en ti más que piel, estatura, color de cabello u ojos; ve tu *personalidad*. Es en ella donde radica tu belleza.

Volteo a ver a Mendel. No encuentro la expresión de interés que esperaba. Está hundido en su silla mirando hacia abajo mientras se raya el dorso de una mano con tinta. Me levanto un poco para observarlo mejor. Parece muy concentrado en su labor de dibujarse la piel.

Una corriente de asombro y temor me hace parpadear.

¡En realidad no se está rayando con tinta! ¡El pigmento carmesí que le mancha el antebrazo es sangre!

Tardo en razonar lo que veo. Al fin entiendo. Se está automutilando; cortando con una navaja de rasurar.

6

Me levanto de mi silla y camino hasta el muchacho.

—¿Puedo hablar contigo un minuto?

Salgo del salón; me sigue.

—¿Qué estás haciendo? —esconde los brazos detrás de la espalda—, ¡enséñame! —lo hace muy despacio; en el dorso de la palma izquierda tiene la piel ajada por tres líneas paralelas; sus cortadas son suficientemente profundas para abrir la epidermis y entintar el surco con sangre, pero no tanto como para provocarle hemorragia. De momento no sé qué decir; al fin salgo de mi asombro—. ¡Mendel, te estás mutilando!

—Me gusta sentir dolor —contesta—. Estoy pensando en hacerme unos tatuajes.

—Dame la navaja. Ya hablaremos.

Volvemos al salón.

Leoncio está mostrando el librito de trabajo; los muchachos hojean el suyo. Me cuesta trabajo volver a concentrarme.

—Vean el material del curso. Está dividido en tres grandes temas. El primero se llama AUTO-CONCEPTO; durante este módulo analizarán las ideas que *ustedes* tienen sobre *ustedes* mismos; descubrirán qué los avergüenza: sus defectos, y errores; examinarán las mentiras que han creído y la forma como han sobrevalorado la opinión ajena; aprenderán a amarse de verdad y a poner límites a los ataques de los demás. René Descartes dijo: *Pienso luego existo*. Lo que piensan de ustedes moldea su destino, así que el primer módulo del curso se llama…—deja la frase en el aire; alguien completa:

—AUTO-CONCEPTO.

—Muy bien. El segundo módulo se llama AUTO-CUIDADO. Al estudiarlo se darán cuanta que no es suficiente *pensar* lo correcto, también hay que *actuar* correctamente: cuidar su cuerpo, estar en buena forma física, saber arreglarse, usar bien la voz y las palabras; aprenderán a no dar nunca la impresión de mentirosos, soberbios, descorteses u holgazanes. Este segundo tema se llama... —vuelve a dejar la expresión inconclusa.

—AUTO-CUIDADO.

—Bien. Por último, estudiaremos un módulo que se llama AUTO-SUSTENTO. Aquí aprenderán a cultivar las fuentes de belleza que sostendrán su personalidad toda la vida: inteligencia, paz, compasión, servicio, valores...

Termina la charla introductoria.

Miro a Mendel. Ha cerrado los ojos como si estuviese a punto de echarse a dormir. Paso junto a él y lo muevo para que me siga.

Salimos al jardín. Son casi las once de la noche; hay una total oscuridad sólo atenuada por frugales lucecitas de apenas dos watts que alumbran como velas y delimitan los senderos. Al fondo, la espesura de la selva se antoja intimidante. Mendel arrastra su pierna corta, se ve más encorvado que de costumbre. Viene detrás de mí. Lo espero.

—¿Sabes dónde está nuestra cabaña?

—Sí.

—¿Me llevas?

Camino a su lado. Todavía huele a vómito. Nubarrones de mosquitos hambrientos nos circundan. Saco la loción repelente y me la unto, le ofrezco un poco a Mendel esperando que el aceite confunda los aromas.

—¿Ya te sientes mejor del estómago?

—Sí.

—¿Qué opinas del curso? Puede ayudarte mucho.

—Oh.

—Quiero decir —rectifico—. Puede ayudarnos *a todos*. Suena interesante saber que la mayoría de los grandes hombres en la historia no tenían una cara bonita. Incluso, algunos eran feos.

—¿Cómo yo?

—No dije eso.

—¿Y también eran cojos?

—Teodoro Roosevelt lo era, pero no se automutilaba.

—Ah.

Acelera el paso para librarse de mí.

—¡Tú podrías llegar a ser líder!

—Seguro.

Lo dejo irse. Comprendo cuan lastimado debe estar. Lo sigo con la vista. Sale del sendero y se interna en la espesura. Leoncio nos advirtió de la peligrosidad de hacer eso. Echo a caminar aprisa y me interno también en el follaje tratando de encontrarlo.

—¿Qué haces, Mendel? No te escondas.

Escucho el rozar de mi ropa con las plantas. Me paro en seco y aguzo mis sentidos. Adivino que el joven está cerca y se ha quedado quieto. Me muevo muy despacio tratando de interpretar las señales en las sombras. Tengo la tentación de regresar y pedir ayuda a otros profesores, pero me contengo.

—Nos estamos exponiendo a la picadura de una araña o serpiente. Sal de donde estás.

Silencio. Siento el cosquilleo de un insecto andando por mi cuello. Lo palmeo. Una picazón me sube por los brazos. ¿Habré tocado algún tipo de hiedra ponzoñosa? Mendel merece una reprimenda, una advertencia, un recordatorio del reglamento. Me muerdo los labios y aguanto la respiración, inmóvil. Al fin lo escucho. Está a un par de metros a mi izquierda. Me abro paso hasta él. En las manchas sin colores de la noche, percibo su silueta en cuclillas, y... ¿lo escucho sollozar? Por unos momentos no sé qué hacer. Decido simplemente guardar silencio y acompañarlo. Olvido el temor de hallarme a oscuras en un medio potencialmente hostil y me pongo en cuclillas también.

—¿Qué tienes?

—Nada.

—Háblame. Quiero ayudarte.

—Mmh.

—¿No te gusta que se burlen de ti?

—Ya me acostumbré.

—¿Entonces qué pasa?

—Últimamente pienso mucho en la muerte.

Se me eriza la piel.

—Extrañas a Oscar, yo también. Era *mi* sobrino; pero la vida continúa y hay otras personas que nos aman. Por lo que vi, Kidori te quiere mucho. También es tu amiga.

—Pero Oscar era como mi hermano.

—¿Por qué?

—La pared de su cuarto estaba pegada a la mía. Más de una vez salió corriendo de su departamento para tocar a mi puerta y preguntar por mí, ¡arriesgándose!, sabiendo que mi padre, drogado, estaba a punto de darme una paliza.

—¿Oscar te ayudaba a escapar de tu papá?

—Sí.

—Mendel. Regresemos a la cabaña. Ya tendremos tiempo de platicar.

Trata de calmarse durante un par de minutos más, después acepta apoyarse en mi brazo y andamos de vuelta hasta el sendero.

7

Llegamos a la cabaña número tres. La analizo. Está construida sobre pilotes altos para salvaguarda de inundaciones o animales salvajes; como todas las demás, se encuentra aislada y oculta en la espesura; parece un pequeño refugio fundado por alguna civilización perdida. Al ras del suelo hay una hendidura como pequeño sótano que oculta cables e instalaciones de gas. Subimos las escaleras. Llegamos al primer piso. Alrededor del vestíbulo central hay cuatro puertas; la primera es un baño exterior de uso común, las otras son habitaciones diminutas con dos camas de madera sobre las que hay una delgadísima colchoneta de hule espuma. Las mujeres se hospedaron en el primer cuarto, junto al baño; el siguiente está vacío (para mi uso) y en el tercero estarán Narciso y Mendel.

Los escalones continúan hacia la azotea que hace las veces de terraza.

Como Mendel no trae equipaje lo llevo hasta mi habitación para prestarle la mitad de mis pertenencias. Por fortuna, después de que hice mi maleta en casa, mi esposa enriqueció su contenido agregando más cosas; ella tiene la manía de viajar y hacerme viajar con exceso de equipaje; eso nos ha ocasionado muchas discusiones, pero ahora agradezco su excentricidad.

—Sólo por esta noche —me pide el joven—. Déjeme acostarme aquí. ¿Sí?

No espera mi respuesta. Se saca los zapatos y se tira en una de las camas gemelas. Lo observo indeciso sin decir nada. Salgo al vestíbulo. Narciso ha apagado la luz de su cuarto y tiene la puerta bien cerrada. Las chicas, por el contrario, mantienen su lámpara encendida y hablan en voz alta, como contendiendo. Regreso. Me recuesto. Saco mi libreta de apuntes y redacto los pormenores del día. A los pocos minutos Mendel comienza a roncar. Lo observo. Me siento incompetente e inexperto ante la encomienda de ayudar a esos chicos. Dejo a un lado mi libreta y tomo el material del curso para estudiarlo. Me asombra. Sacude mis ideas. Estoy ensimismado con la lectura cuando escucho ruidos en el vestíbulo. Kidori y Tábata rivalizan de forma febril. Me incorporo. Lo sabía. Tenía que suceder. Los gritos suben de tono. Mendel despierta.

—¿Qué pasa?

—Hay problemas.

Se oyen pisadas rápidas como si las chicas se corretearan. Entonces sobreviene un silencio breve seguido de un estallido de vidrios y gritos horrísonos.

Salgo al vestíbulo. Kidori ha aventado un vaso de cristal con agua a Tábata quien pudo esquivarlo y busca la forma de prevenirse de otro proyectil. El piso está mojado y lleno de vidrios.

Trato de calmarlas. La escena es extraña. Kidori, vestida con un kimono estampado de flores, parece enloquecida, pero Tábata semidesnuda usando un diminuto bikini, se comporta a la defensiva.

—Eres una ninfómana. ¡Mírate al espejo, maldita! —la intelectual Kidori despepita frases discordantes con su filiación—. ¡Vienes a un campamento de jóvenes a ver con qué hombre te acuestas! ¡Sedujiste a Oscar! Le embarraste tus pechos de silicón en la cara, sabiendo que era mi novio. Perteneces al GRE; ¡prostituta disfrazada! Debiste morir tú, no Oscar.

—Estás diciendo tonterías —responde Tábata tratando de asirse a un tono pacificador—, yo nunca quise formar parte de la GRE. Oscar y yo nos amábamos. Le pedí que me ayudara a salir de ese ambiente —levanta la voz sin perder su garbo natural—. ¡Él me iba a ayudar!

—¿De veras? ¿Hicieron planes en un hotel? ¿Discutieron primero sobre cual *baby doll* te quedaba mejor? ¡No me vengas con estupideces! ¡Tú lo expusiste a que lo mataran!; deberías estar en la cárcel.

—¡No sabes lo que dices!

—Claro que lo sé, loba con piel de oveja —Kidori se arroja sobre Tábata; ambas caen al piso; una de ellas se corta con los vidrios del vaso roto. El parquet se mancha de sangre. Narciso ha salido de su cuarto y entre los tres hombres tratamos de apartarlas, pero las chicas están trenzadas, jalándose de los cabellos, rodando por el piso como luchadoras callejeras; además, resulta difícil intervenir en la separación de los cuerpos, porque Tábata, en efecto, se encuentra casi desnuda. Repentinamente, la modelo gira y aplica una llave de judo a Kidori. Su agilidad me sorprende. Se pone de pie dejando a la japonesa en el suelo. Apenas Kidori se repone de la torcedura, intenta proseguir la gresca. Las detenemos. Kidori sigue diciendo insultos, pero tiene una cortada sangrante en el brazo. Me paro en medio de ambas y obligo a la japonesa a entrar al baño para lavarse la herida.

El abdomen de Tábata está manchado con la sangre de Kidori. Narciso usa su camisa para limpiarle el ombligo. Tábata rechaza un poco el gesto insinuante de Narciso; parece muy azorada. El fortachón le acaricia la cabeza en un exagerado ejercicio de consolación. Mendel se indigna.

—¡Deja de manosearla!

Narciso suelta a la joven y encara a Mendel.

—¿Qué dices, Feo?

—Te estás aprovechando de ella.

—¡Pinche cojo degenerado! Yo no estoy manoseando a Tábata. Eso quisieras hacer tú, pero no vas a poder.

—Tendrás serios problemas si sigues así.

—¿Me amenazas? —Narciso, que es veinte centímetros más alto, le da dos sonoras palmadas de advertencia en la cara a su compañero; las medias bofetadas anuncian el inicio de una nueva gresca. Por fortuna, Mendel se queda paralizado. No devuelve la agresión.

—Tranquilos —les digo tratando de tomar las riendas del asunto. Sólo puedo pensar en una cosa: Todo este experimento es una execrable equivocación. Los cuatro chicos no deberían estar aquí, *juntos*, y yo no debería ser su asesor.

Cuando los ánimos se han calmado y la herida de Kidori ha dejado de sangrar, les pido a todos que suban a la terraza.

—Necesitamos hablar.

Estoy acostumbrado a dar consejos de estilo y corrección literaria; no sé nada respecto a la orientación psicológica. El único recurso con el que cuento es el material que estaba leyendo antes de la pelea: propone una herramienta para cambiar de hábitos bastante controversial. Puede servir. Voy a mi recámara por la carpeta.

Desfilamos escaleras arriba.

En el techo hay una baranda perimetral y una mesa con seis sillas. Nos sentamos. Tomo la cabecera.

Tábata se pone una bata. Parece muy avergonzada por haber propiciado la gresca. Su piel canela brilla por los reflejos de la luz arbotante. Deja caer su largo cabello negro hacia delante cubriéndose así parte de la cara mientras sus ojos verdes miran hacia el suelo con una arraigada timidez. Me parece sumamente extraño ver tal inseguridad en una mujer tan atractiva.

Kidori, por su parte, mantiene una actitud aviesa. Refleja en su rostro la inteligencia del análisis. Mira hacia todos lados, atenta, maliciosa. Se ha sentado junto a Mendel quien parece ser la única persona en quien confía.

Respiro hondo; estoy nervioso; trato de disimularlo; hojeo la libreta de apuntes.

—Kidori ¿por qué se pelearon?

—Porque Tábata no quiso ponerse pijama.

—¡Yo duermo así! —contesta la modelo sin dejar de mirar al suelo—. No es por mala intención. Hace mucho calor y sólo estábamos dos mujeres en el cuarto.

—Kidori —le digo—. Si cada vez que no te guste la ropa del vecino te vas a agarrar a golpes, todos terminaremos en el hospital.

—¡Tábata estaba desnuda, profesor, ostentando sus senos operados! Es una *cuatro-letras*. ¡No la soporto!

—Ni siquiera me conoces bien —dice Tábata con turbación.

—¡Te conozco lo suficiente! Me quitaste a mi novio y después...

—No. Kidori. Estás en un error. Tú ni siquiera tienes idea de lo que yo he pasado... Si supieras la verdad, no me agredirías.

—A ver, dime —Kidori la reta altanera, como dispuesta a liarse a golpes otra vez—. ¿Cuál es la verdad?

Esta vez Mendel la toma del brazo y la tranquiliza.

—Relájate, Kidori. No te conviene.

El apoyo de su amigo la ayuda a recuperar la cordura.

—Estaremos aquí dos semanas, juntos —les digo—. Quiero que calmen sus ánimos y se concentren en el curso que van a tomar.

Narciso levanta el brazo y lo pone sobre la espalda de Tábata.

—No la abraces —le digo—; ni siquiera la toques.

Sonríe con cinismo.

—¿También usted está celoso porque ella me prefiere?

Tábata se encoje como una paloma herida sin atreverse a quitar el abrazo de su compañero, pero protesta con voz trémula:

—¿Por qué son todos los hombres iguales?

Siento un cosquilleo de resquemor.

—Narciso, suéltala —lo hace muy despacio sin dejar de sonreír—, ¡en este equipo necesitamos trabajar para sanar heridas muy profundas! ¡Debemos ayudarnos entre todos!, no quiero que trates de hacer amistad *especial* con ninguna mujer mientras estemos aquí. ¿Entendido?

No contesta.

Se percibe en el aire una calma tensa, como el silencio que precede en las guerras a la explosión de una bomba. Puedo leer cuán difíciles se pondrán las cosas. Abro la libreta de apuntes y la hojeo. Los cuatro jóvenes, impacientes, miran hacia otro lado.

8

—A ver Kidori, lee este fragmento —le paso los apuntes—, cuando acabes, le das la libreta a Tábata y así sucesivamente.

La chica obedece con voz trémula. Le cuesta trabajo concentrarse, así que la obligo a iniciar varias veces hasta que comenzamos a comprender. De tanto en tanto, hago circular la libreta para que todos lean una porción del texto.

La apuesta de Pascal.

Blais Pascal en su libro póstumo *Pensamientos* escribió una tesis revolucionaria: Los hábitos son muy difíciles de romper porque provienen de actos repetidos. Para cambiar de hábitos es necesario forzarnos a la inducción de nuevos actos *haciendo como si*. Por ejemplo, para creer en Dios, aunque seas ateo, *haz como si* creyeras; no cuestiones, no razones, sólo haz lo que un creyente hace: reza por las mañanas, lee los libros sagrados, asiste a reuniones de practicantes, actúa como creyente, y poco a poco la conducta inducida te hará cambiar de convicciones y creerás. Lo mismo sucede en sentido opuesto; quien tiene la convicción de creer, sólo necesita comportarse *como si no* creyera, para perder poco a poco su fe.

Claudia Noseda lo explica muy bien: «El hábito (la vestimenta) *NO* hace al monje porque no basta con que un hombre use una túnica franciscana, por ejemplo, para convertirse en un hermano franciscano; es preciso que, además de la vestimenta marrón y el cordel anudado a la cintura, ese hombre cumpla con las prácticas de la vida y del quehacer propio de un franciscano, pero por otro lado, el hábito *SÍ* hace al monje porque de proponerse ese hombre acatar los reglamentos de la Orden, la vestimenta le recordará diariamente su condición de monje franciscano».[2]

En este contexto, la vestimenta adecuada propicia acciones y las acciones producen convicciones.

¿La mona que se viste de seda, mona se queda? Mentira. Motivada por la seda, la mona puede actuar como si no fuera mona y así dejará de serlo, o al menos de parecerlo.

Si decido tratar a una persona *como si* la quisiera, le brindaré apoyo, le dedicaré tiempo y la respetaré; entonces mi afecto hacia esa persona se hará real.

Hace poco salió otra película con el gastado argumento de una pareja de desconocidos que por motivos comerciales deben hacerse pasar por esposos y fingir que se aman. Antes de verla deducimos el final: es obvio, acabarán enamorándose. Siempre sucede. Cuando un hombre y una mujer de común acuerdo *hacen como si* se quisieran, tarde o temprano se querrán de veras. Lo mismo ocurre en sentido opuesto. Hay parejas que tienen todo para amarse y ser felices pero se portan como si no se quisieran: se tratan con indiferencia, evitan los detalles y las palabras cariñosas, no son románticos entre ellos. Tarde o temprano terminan detestándose.

De los actos nacen los sentimientos.

Las personas no podemos controlar lo que sentimos, pero sí lo que hacemos. Actuando de forma constructiva generaremos emociones constructivas. Actuando de forma destructiva generaremos sentimientos destructivos.

Pascal fue muy criticado por los intelectuales y filósofos del siglo diecisiete, pero la efectividad de su teoría ha sido comprobada. *Haz como si...* funciona en todos los aspectos de la vida.

¿No te gusta tu trabajo? *Haz como si* te gustara; decide tener actitudes y comentarios en armonía con este nuevo supuesto, y acabará gustándote de verdad.

Esta técnica nos enseña como cambiar de hábitos.

Detengo la lectura del material.

Las emociones negativas han menguado.

Van a dar las dos de la mañana. El sopor ha comenzado a generar algunos bostezos.

—Hemos tenido un inicio de campamento muy intenso —digo—, así que en este momento van a ir a sus habitaciones en silencio. Mendel dormirás con Narciso tal como nos ordenaron. Kidori, durante el resto del campamento *harás como si* Tábata fuera tu amiga, *harás como si* la conocieras desde niña y comprendieras su forma de ser, *harás como si* aceptaras su versión de los hechos y ella fuera una víctima también. Tábata, a partir de ahora *harás como si* entendieras la tristeza de Kidori, *harás como si* te doliera su soledad y su ira por haber perdido a alguien que fue su novio por años, *harás como si* te cayera bien y la perdonarás por lo que te dijo... Narciso y Mendel, realizarán un ejercicio similar entre ustedes; ¡y los cinco *haremos como si* nada de lo que pasó hubiera pasado! ¿De acuerdo?

No recibo comentarios. Se ponen de pie y caminan hacia sus recámaras con pesadez. En mi fuero interno, tengo la sensación de que cuanto acabo de proponer no servirá de mucho. Quizá el tal Pascal propuso una estrategia anodina tendiente a la hipocresía, o quizá simplemente no la entiendo todavía; espero que cuando Leoncio la explique, cobre más sentido.

Voy a mi cama y me tiro de bruces.

A las seis de la mañana suena una horrísona corneta que me hace brincar. Soñoliento, salgo de mi cuarto para ser el primero en entrar al único baño, pero por más que me apresuro, alguien se me ha adelantado. Toco. Es Narciso. Su habitación está abierta. Voy a despertar a Mendel. No se encuentra. Sólo una colchoneta tiene huellas de que alguien se acostó en ella.

—Caramba… —me asomo por la ventana. ¡No durmió aquí! ¿Dónde habrá ido?

Tropiezo con sus zapatos. Me agacho. Veo su pie.

¡Está debajo de la cama!

Dudo unos segundos. ¿Qué es eso? Lo muevo.

Recuerdo que su perfil psicológico advertía: «presenta frecuentes trastornos de sueño como sonambulismo o insomnios que compensa durmiendo en espacios encerrados».

—Mendel, ¿qué haces ahí? Levántate.

Gime. Vienen a mi mente las imágenes de avestruces escondiendo su cabeza o de tortugas metiéndose en su caparazón.

La corneta vuelve a sonar.

9

Leoncio cierra las cortinas del salón y proyecta algunas películas breves. Luego las explica.

—La fealdad humana es subjetiva; sólo es feo quien se cree feo. Ustedes acaban de ver un video de Nick Vujicic; no tiene brazos ni piernas, pero *actúa como si* los tuviera; así que puede nadar, caminar, estudiar, y dar conferencias frente a multitudes con la seguridad y gracia que sólo podría tener un conferencista de cuerpo íntegro. También vieron a Beatriz Hornales; ella tiene una pierna corta; usa tacones asimétricos y bastón ortopédico. Aún así, decidió no pensar en ese atributo personal como un defecto y hace *como si* no lo tuviera. Es alegre y optimista; se graduó de licenciada, tiene un postgrado y trabaja como ejecutiva. Cojea, pero ha decidido aceptarse y ser bella. También vimos otra película en la que una chica de cuerpo perfecto, Lucía Pares, avergonzada de tener algunos barrillos o espinillas, se la pasa untándose cremas y tomando pastillas: Como se enfoca en las imperfecciones de su cutis se volvió tímida e insegura. A pesar de tener un físico simétrico, proyecta una imagen fea, porque ella *actúa como si* lo fuera.

Hace unas horas, en la madrugada, no supe si hice bien en obligar a mis muchachos a aplicar la técnica de *hacer como si*; ahora, tiene más sentido para mí. Espero que para ellos también.

—¿Quién de ustedes quiere pasar al frente a compartirnos un atributo físico que le avergüence y a comprometerse públicamente a *hacer como si* no le avergonzara más?

Los estudiantes se quedan quietos y mudos. Nadie tiene la confianza para quedar expuesto de esa forma. Entonces

Leoncio hace algo que me deja asombrado. Le pide a Mendel que pase.

—¡Ven al frente, muchacho!

Se despierta un rumor de chanzas. Mendel se agacha negándose a obedecer, sus compañeros lo instan a que camine. Voy al estrado y le digo a Leoncio en voz baja:

—Ese joven está muy lastimado; no creo que sea buena idea exhibirlo…

Leoncio me ignora. Vuelve a exigir, ahora con gesto de autoridad.

—¡Mendel, ven al frente!

El muchacho, cojeando, obedece. Regreso a mi asiento, enfadado. Los chicos aplauden.

—¿Cuáles son los atributos físicos que te avergüenzan más?

Hay carcajadas y rumores. Quizá podría mencionar una lista larga. Se anima a participar y musita:

—Mi cojera y mi corta estatura.

—Muy bien. Gracias por compartirlo. Ahora te pregunto, ¿cómo te comportarías si fueras alto y tuvieras las piernas del mismo tamaño? ¿Cuál sería tu aspecto y tu personalidad? ¡Hablarías fuerte, caminarías erguido, con gallardía y distinción! ¿Puedes verlo? Es tu mente la que controla lo que eres. No puedes perder la apuesta. Lee en voz alta este papel y sustituye las líneas por la palabra cojera y baja estatura.

Mendel recibe una hoja; noto que actúa más por presión que por convencimiento; aún así, lee, tartamudeando.

—A par… par… ti.. tir.

—Alto. Vuelve a empezar. Hazlo con energía e intención.

—A partir de ahora, *haré como si* no tuviera cojera o baja estatura; *haré como si* lo atractivo de mi personalidad radicara en mi mirada, mis palabras, mi sonrisa, mis capacidades… *haré como si* la baja estatura y la cojera ya no tuvieran importancia; *haré como si* yo fuera seguro, valioso, capaz de proyectar una imagen agradable...

—Bien —dice Leoncio abrazándolo—. Gracias.

Mendel regresa a su lugar erguido y procurando no cojear. Me causa ternura verlo. Leoncio concluye:

—Muchas personas, en vez de hacer la apuesta de Pascal (que implica un esfuerzo de la mente), corren a ponerse postizos, zancos, tatuajes, o atuendos exagerados, pero aunque se cubran con un disfraz, siguen siendo chaparros y cojos en la cabeza. Nada de lo que hagamos por fuera nos va a hacer más atractivos, si no aprendemos que todo en la vida es un proceso de acciones y pensamientos; los unos generan a los otros y viceversa creando un círculo cinético imparable. Piensen. ¿Qué es lo que siempre han querido? ¿Dinero, salud, dientes alineados, prestigio, esbeltez, ojos azules? ¿Qué les hace falta para tener total confianza en ustedes? Pues imaginen que lo tienen y actúen con el ánimo de ese supuesto. No se trata de mentir, falsear lo que somos o presumir lo que no tenemos; éste es un ejercicio ajeno a la hipocresía. Se fundamenta en la lógica: como es imposible tener todos los elementos necesarios para lograr la excelencia, decidimos lograrla, aún sin contar con todos los elementos. En cuestiones de imagen, la excelencia está ligada a la *seguridad*. Una persona segura de sí misma es atractiva. Una persona insegura es detestable. Reflejar confianza aún sintiendo duda no es un acto inmoral, es una estrategia inteligente. ¡Me comporto *como si fuera* seguro de mí mismo, aunque por dentro me esté muriendo de miedo! Así, acabo irradiando seguridad y adquiriéndola...

Escribo todo lo que el guía dice para incluirlo en mi reporte. Leoncio termina:

—Ahora se reunirán con su mentor en las mesitas al aire libre; cada equipo compartirá con sus compañeros lo que le ha avergonzado más de su persona o de su pasado.

Salimos. Somos el último equipo en reunirse.

Mis alumnos se miran con antipatía. Ninguno quiere participar.

—¡Vamos! —les digo—, ¿quién comienza?

—¡Qué tontería! —declara Mendel.

—¿Tenemos que hacer esto? —pregunta Narciso—. Es una pérdida de tiempo.

—Sí —dice Kidori—, no somos niños de preescolar.

Los cuatro se levantan para irse.

10

—Esperen —trato de contenerlos—. Esta mañana, después de que llegamos de correr, ustedes se fueron a descansar y yo me puse a estudiar el material. Descubrí que todas las dinámicas tienen un sentido y un porqué.

—¿Y qué sentido tiene decir lo que nos humilla —pregunta Kidori—. ¿Recitar después un estúpido juramento?

—Estamos tratando de aprender algo nuevo. Por un momento dejen de creer que lo saben todo. A ver Kidori, tú misma dime. ¿Qué es lo opuesto de buen olor?

—Mal olor.

—¿Lo contrario de pelo largo?

—Calvicie.

—¿Lo opuesto a vestir bien?

—Vestir mal.

—¿Lo contrario de belleza?

—Fealdad.

—¡Error! ¡Eso es lo que todos creemos, pero el material del curso nos desafía a *pensar diferente*! Lo contrario de belleza no es fealdad. Mira lo que dice este aforismo antiguo —le doy la carpeta—, lee por favor.

—«En vez de perfumes, había hediondez, en vez de trenzas, calvicie, en vez de vestido suntuoso, harapos, ***y en vez de hermosura, vergüenza***».[(3)]

—¿Lo ves? Según esta filosofía, lo contrario de belleza es vergüenza. La fealdad es una consecuencia de la vergüenza o lo que es lo mismo, la vergüenza afea.

—¿Entonces debemos ser unos desvergonzados? —pregunta Kidori.

—No en el sentido de descaro sino de bochorno y pena. Tomen asiento, por favor. Escuchen. ¿Alguien tiene un ojo más pequeño que otro, la nariz grande, poco cabello, orejas prominentes, exceso de peso, piel manchada, pecas, cuerpo desproporcionado o cualquier atributo que no parezca muy común? Bien; nada de eso nos hace feos. ¡Los seres humanos somos diferentes y, a nuestro modo, perfectos! Lo que nos hace repulsivos es avergonzarnos de ser distintos. ¿Quién me ayuda a leer este texto?

Tábata se comide y toma asiento primero. Los demás la imitan

—Confucio dijo: «Cada persona tiene su belleza, pero no todos pueden verla». Lo que nos hace bellos es que somos únicos; no hay dos seres humanos idénticos, ni aún los gemelos; Las huellas digitales, originales; las posibilidades de combinación genética, infinitas. Aunque decimos *es idéntico a su abuelo*, la realidad es que ese niño sólo se parece al abuelo en ciertos rasgos físicos o de carácter pues sus experiencias y carga genética lo hacen único. Al tramitar un pasaporte, nos piden señas particulares como lunares o marcas que todos tenemos. Reconocemos la risa de un amigo, el timbre de voz de la persona amada o la suavidad de las manos de nuestra pareja. Hay hermosura en la unicidad genética y cultural, y sobre todo en el resultado psicológico de la experiencia propia. ¡Un abanico de posibilidades! En toda la historia del hombre no ha habido un ser humano idéntico a ti; eres irrepetible. Enorgullécete de ser especial y original. Todo lo que consideres tus defectos físicos, son en realidad tus atributos diferenciales. Decide ser tú; sólo así lograrás la belleza que anhelas. Por último, decide dejar de avergonzarte por tu pasado; ¡eventos tristes de tu infancia pueden haberte convencido de que no vales la pena! Errores antiguos, imprudencias cometidas, pérdidas ocasionadas, oportunidades desaprovechadas. ¡Olvídalas! Han quedado en el ayer. No te avergüences de lo que ya no puedes remediar. Decide proyectar una imagen única, exenta de vergüenza.

—Gracias por leer —cerramos la libreta y veo a mis muchachos. Al menos ya no parecen tensos; sonrío e insisto—. ¿Algún voluntario a decir lo que le avergüenza?

Narciso se adelanta preguntándome:

—¿Y a usted, profesor, qué le avergüenza?

Mi sonrisa se congela en la cara.

—Sí —dice Kidori—, dénos el ejemplo.

Inhalo y exhalo. Recuerdo las palabras de Leoncio al recibirnos: «los asesores son maestros jóvenes que coordinarán las actividades y participarán en *todas* las dinámicas».

—De acuerdo —comienzo—. Me avergüenza haberme convertido en una persona sedentaria. Antes era atlético, aficionado al automovilismo y al motociclismo. No tengo hijos, pero mi sobrino Oscar era como mi hijo —me detengo dudando; ¿por qué estoy diciendo eso?, bueno, porque quiero que mis alumnos sean sinceros también; prosigo—. Desde niño, Oscar me acompañaba a las pistas de go karts. Infringiendo las normas, yo movía el asiento y sentaba al pequeño entre mis piernas —la tristeza comienza a vencerme; son recuerdos que sepulté hace mucho tiempo—. Un día, tuvimos un accidente. Dos autos descontrolados que venían a toda velocidad nos impactaron por atrás —hago una pausa retratando la imagen—. Nos volteamos y caímos sobre el bracito de Oscar. Se lo rompió en tres partes, pero lo más terrible fue que metió la mano en la cadena de transmisión del go kart. Tuvieron que amputarle tres dedos de la mano. Sus papás dejaron de hablarme por varios años. Pero Oscar me quería mucho; creció y quiso estudiar en la universidad donde yo trabajo... Mis cuñados lo llevaron a mi oficina y se reconciliaron conmigo.

Me pidieron que cuidara su hijo y le diera consejos. ¡Y fallé otra vez! —no puedo seguir; la voz se me quiebra—. Todo eso me avergüenza.

Mi confesión propicia identidad. La muerte de Oscar nos afecta a todos en ese círculo. Pregunto:

—Ahora, ¿alguno quisiera decir lo que le avergüenza?

Tábata lo hace. Su voz es bondadosa y dulce, como locutora de radio en un programa nocturno, pero su mirada permanece baja cuando habla.

—A mí me avergüenza lo que otros dicen de mí. Es injusto. Yo no ando buscando a los hombres para tener sexo, ni quiero otro novio; estoy cansada de ser vista como una mujer sensual o provocativa; he tenido varias parejas porque me siento muy sola, pero no importa el hombre del que se trate, siempre acabo siendo acosada sexualmente por él. Me avergüenza no ser capaz de mostrarles que también valgo como persona. Me avergüenza escuchar a algunos decir que yo no quería a Oscar o que lo puse deliberadamente en peligro. Me avergüenza muchísimo que el asesino de ese joven maravilloso haya sido un tipo con el que yo salí, un tipo celoso, enfermo de poder, que siempre me mantuvo controlada con amenazas… Me avergüenza que el director me haya enviado a la fuerza a este campamento para tratar de arreglar mi personalidad y mis diferencias con todos ustedes…

Tábata termina con la cabeza agachada, sinceramente afligida. Kidori aprieta los dientes. Ella también tiene algo que decir, pero no lo hace.

11

Durante el resto del día, los estudiantes preparan una pequeña obra teatral basada en la filosofía de *hacer como si*. El objetivo de la dinámica es lograr que representen personajes distinguidos, ilustres o sobresalientes, y se den cuenta que pueden proyectar una imagen de gran calibre. A todos los equipos, el ejercicio los relaja y hace reír. Al nuestro, no. Kidori intenta tomar el liderazgo; es la única del grupo capaz de representar un papel teatral con soltura. Narciso no contribuye, Mendel carece de gracia artística y Tábata, a pesar de su natural belleza, se ve torpe y gris en el escenario. Nos damos por vencidos.

Esa noche, nueve equipos presentan su obra de teatro con algarabía. Nosotros salvamos nuestra dignidad gracias a que Kidori se anima a hacer un monólogo. Comprendo por qué a la chica japonesa le apodan *Hormiga atómica*; es hiperactiva, impaciente y desenvuelta, pero no puedo consolidar mi equipo con un solo elemento. Me siento decaído.

Siguiendo las instrucciones de los líderes, después de cenar, los reúno a todos en la terraza de nuevo.

Tábata denota mortificación, casi quebranto.

—¿Qué te pasa, hija? —trato de animarla en un tono familiar—. ¿Por qué estás triste?

La morena se encoge de hombros, siempre mirando hacia el suelo.

—No lo sé. Sigo sintiéndome muy mal por lo que les platiqué esta mañana. No puedo *hacer como si* nada hubiera ocurrido en mi pasado...

—Esfuérzate por olvidar.

—¿Olvidar? ¿Así nada más?

—Así nada más, Tábata.

—Tendrían que taladrarme el cráneo y arrancarme el pedazo de mi cerebro donde guardo las memorias.

—Bueno, pues eso no va a suceder, nadie trajo un taladro craneal ¿o sí? —ninguno me sigue el juego—, sin embargo —aseguro—, tú puedes decidir no pensar en lo que te dañó.

—Imposible, profesor —habla con encogimiento—, ¿usted puede olvidar que por su culpa Oscar perdió tres dedos?

—Bueno, tienes razón, supongo que cuando afectamos a terceros es muy difícil olvidar algo que *los demás* tienen presente; necesitaríamos solicitar a *los demás* que también olviden; a eso se le llama pedir perdón, en su caso, acompañando la petición con el pago de los daños que causamos.

—¿Usted le pidió perdón a los papás de Oscar, después del accidente de go karts?

—Sí… También pagué los gastos de la cirugía de su mano, el hospital, la rehabilitación y sus estudios durante gran parte de su vida.

—¿Le pidió perdón a Oscar?

—Sí. Lo que no hice fue aplicar la técnica de Pascal porque la desconocía. *Hacer* (después) *como si* nunca hubiese cometido ese error.

—Pues para mí es imposible olvidar.

—Entonces *haz como si* olvidaras. Compórtate como alguien que ha olvidado, que no recuerda lo malo. Con el tiempo, el viejo hábito de sentir vergüenza secreta por tu pasado dejará de atormentarte.

—No lo creo, profesor —sacude la cabeza; sus largos cabellos sueltos le vuelven a tapar el rostro; sopla para hacerlos a un lado—. Si usted supiera lo que me pasó a mí, se daría cuenta de que eso es casi imposible.

Narciso toma de la mano a Tábata.

—Cuéntanos —le pide.

—¿Para qué? Eso no resolverá nada.

Kidori la anima con profunda seriedad.

—A mí me hace mucha falta escuchar tu visión de la vida... Si quieres que te perdone...

Tábata voltea a ver a su compañera con desasosiego. En su rostro se lee un mensaje tímido, pero claro. *Necesito que la gente me entienda.*

—Hija —le digo—, desahogarte te va a aliviar y a nosotros nos ayudará a conocerte y a comprenderte.

Asiente; se lleva las manos a la cabeza tratando de aliñar sus cabellos rebeldes, pero éstos vuelven, insurrectos, a taparle la mitad del rostro.

—Mi madre se divorció tres veces —comienza—. Después se dedicó a traer hombres a la casa, y ya no se casó. Yo tengo un hermano; mejor dicho, medio hermano, porque somos de distintos papás. Se llama Jenaro. Es cuatro años más grande que yo. Jenaro desde chico era muy grosero y caprichoso; siempre andaba metido en problemas; lo corrieron de la escuela varias veces porque se peleaba con todos; le gustaba torturar animales. En mi adolescencia tuve demasiados pretendientes, pero Jenaro me los alejaba a golpes. Andaba como una sombra, detrás de mí. Era tan agresivo que todos le teníamos miedo. Hasta mi mamá. Un día, no estaba en la casa y entré a su habitación a buscar una calculadora; su escritorio pegado a la cama, era un desastre. Entre sus papeles encontré pornografía, pero lo que más me preocupó fue que había fotos de mujeres que no eran de las revistas, fotos tomadas con una cámara digital como la de él; entre todas sus imágenes había una mía, desnuda, bañándome. Me puse histérica; le llamé por teléfono para reclamarle y se enojó, me dijo que no me metiera en sus cosas; después comenzó a insultarme; usó muchas palabras groseras; dijo que iba para la casa y que si me veía en su cuarto me iba a matar a golpes. Lo desconocí. ¡No podía hablarme así! Su computadora personal estaba en hibernación; la dejaba con password y nadie podía entrar, pero ese día se le olvidó apagarla. Me metí a sus archivos personales; vi videos y fotografías. Era un degenerado; tenía muchísimo material sucio, me causó nauseas descubrir videos pornos de mujeres violadas, pero lo que me hizo enloquecer fue cuando encontré una carpeta con mi nombre. Había cientos de imágenes mías, todas tomadas en mi baño; también había videos. Tuve miedo. En el historial de sus correos electrónicos, descubrí que enviaba y recibía fotografías de mujeres desnudas. Incluso mías. Me pregunté de dónde las había sacado. ¿Cuándo y cómo me fotografió y filmó? Fui a mi baño, moví todas las cosas, quité el espejo, los cuadros y accesorios hasta que descubrí una pequeña cámara de video escondida. La arranqué. Entonces, fui al cuarto de Jenaro, tomé todas mis fotos impresas y las rompí. Luego me dediqué a borrar los archivos de la computadora. Actué tontamente, porque estaba llorando mientras lo hacía. Entonces llegó él; venía hecho un energúmeno, me dijo, qué haces ahí, perra, esas son mis cosas; quise contestarle y me dio una bofetada que me tiró al suelo. Gritó que no me metiera con lo que no me importaba y me pateó. Como pude, me escapé. Mi vida se desmoronó. En cuanto mi mamá llegó de trabajar le dije lo que había pasado, al principio se enojó mucho, pero luego me contestó que tratara de llevar la fiesta en paz con Jenaro porque él era muy difícil y además, todos los hombres son iguales. Me sentí desprotegida. Sola. Mi madre me recomendó que me encerrara por las noches para que Jenaro no fuera a entrar a mi recámara. Una semana después, fui a la casa de una amiga a hacer un trabajo; se me hizo de noche; manejé mi carrito de regreso a la casa cuando un grupo de hombres con pasamontañas me interceptaron y me obligaron a subir a una camioneta. Ahí me quitaron la ropa y me violaron. Uno de ellos me mordió un seno y me arrancó el pezón con los dientes. Me tiraron a la carretera, moribunda...

Tábata ha dejado que toda su cabellera le cubra el rostro; se ha llevado una mano al pecho como si volviera a sentir el sufrimiento provocado por el profanador.

—¿Quiénes te violaron? —pregunta Narciso.

—Nunca lo supe, pero sospecho que Jenaro estaba entre ellos o que él lo permitió o lo organizó. Fue a verme al hospital y me dijo que me había pasado eso porque lo reté y perdí su protección. Luego, cuando llegué a casa, estuve muchos días deprimida. Las heridas de mi cuerpo se borraron, pero las del alma no... en la universidad se han burlado de mí porque dicen que me operaron el busto; es cierto, me lo reconstruyeron.

Tábata termina de hablar con el rostro escondido detrás de una cortina de cabello; pocas veces he visto en mi vida a alguien más avergonzado. Solloza. Ninguno nos atrevemos a hablar. Le toco el hombro para hacerla sentir apoyo. Narciso le aprieta la mano. Kidori tiene la boca entreabierta y los ojos redondos por la impresión. Después de un rato, se levanta de su silla y va a pararse frente Tábata, quien al sentir el movimiento, alza el rostro tiznado sin limpiarse las lágrimas que le empapan las mejillas. El rímel se le ha corrido. Se pone de pie también. Ambas chicas se abrazan. Lloran juntas la desgracia que sólo dos mujeres pueden comprender e imaginar.

—Perdóname. Kidori. Yo no quise que mataran a Oscar. ¡Perdóname!

Los hombres nos ponemos de pie también, sin saber qué decir. Ante una confesión así, las palabras sobran.

—Es hora de ir a descansar.

Entonces, Mendel pronuncia algo que nos deja atónitos:

—Ya deja de llorar, Tábata, te portas como una mártir desconsolada.

Todos lo volteamos a ver. No podemos creer lo que acaba de decir. Narciso reacciona:

—¿Por qué te burlas de ella maldito Feo, insensible?

Esta vez Mendel no se muestra amedrentado.

—Yo seré Feo, pero tú eres un morboso calenturiento. ¡Provocaste a Tábata para que platicara un problema del que ya estabas enterado! ¡Todos sabemos que ella fue violada!, pero a ti te interesaba escuchar los detalles ¿verdad?

—¿Qué rayos te pasa Mendel? —intervengo— ¿Por qué agredes a tus compañeros? Te suplico que trates de ser un elemento de unión en nuestro grupo y no de distensión. Tábata quiso compartirnos su pasado por iniciativa propia; yo no sabía nada; tampoco Kidori. Lo que nos dijo es un regalo de intimidad. Algo que ninguno de nosotros merecemos recibir, pero ella quiso obsequiárnoslo como un voto de confianza.

Mendel permanece quieto con el mohín de un hombre que ha sido zaherido. No entiendo por qué.

Nos retiramos a nuestros cuartos. Esa noche no hay gritos ni discusiones. Todos dormimos en circunspección.

12

A la mañana siguiente entro a la habitación de los hombres y descubro que la colchoneta de Mendel sigue intacta. Sólo ha retirado la almohada. Narciso está sentado en la suya, terminando de ponerse los zapatos.

—¿Durmió otra vez debajo de la cama? —pregunto.

—Sí. Es un engendro raro.

—¿Dónde está?

—Dijo que iba a lavar ropa.

—¿Cuál ropa? Ni siquiera trajo.

—La que usted le prestó.

Muchachos y mentores de las diez cabañas somos convocados para el desayuno temprano. Haremos una expedición. Como a las nueve de la mañana, partimos en caravana; caminamos por senderos agrestes durante más de una hora; la fila se hace larga. Los más atléticos toman la punta, mientras gorditos o descoordinados como Mendel y yo nos quedamos rezagados. Seguimos el cauce de un arroyuelo entre la jungla. El camino se cierra por tramos y nos exige agacharnos o saltar ramas. En un par de ocasiones, la forma sinuosa del sendero me permite ver a Narciso y a Tábata caminando juntos. Aunque le prohibí expresamente al joven que tratara de seducir a esa chica, tengo la esperanza de que después de lo ocurrido anoche, el galán haya reprimido sus iniciales planes lascivos y se encuentre experimentando la gracia de enaltecer a una mujer.

Al fin llegamos a la meta de la expedición: Una poza de aguas oscuras en medio de la selva. Cuando Mendel y yo arribamos, ya están casi todos sentados, esperándonos.

Observo extasiado el cenote de forma circular techado parcialmente por un sinfín de ramas. Su fondo negro parece hipnótico. Nos quedamos en silencio mirándolo. Varios jóvenes indígenas aparecen entre el follaje cargando tablones de madera y cuerda. Comienzan a hacer amarres con asombrosa agilidad. Leoncio los dirige hablándoles en su lengua nativa. Vemos cómo anudan las tablas insertando la cuerda en hoyos previamente perforados hasta ir formando una especie de andador sobre el agua de la poza. Tienen muchos problemas para darle tirantez a la cuerda y alinear los maderos; pienso que si al menos un par de ellos se arrojara a nadar, lograrían su meta con mayor facilidad. Al fin, sin mojarse, logran construir una especie de puente flotante con dos hileras de tablas que atraviesan el laguito de lado a lado.

Leoncio nos explica:

—Vamos a cruzar uno por uno a través del andador. Pero antes debo advertirles algo: ¿se dieron cuenta que ninguno de los nativos se atrevió a meterse al agua? La razón es muy simple: esta fosa negra tiene un sulfuro que quema la piel. No hay peces ni vida acuática aquí. Si alguno de ustedes se cae, cierre los ojos y nade a la orilla; sentirá muchísimo ardor, sobre todo en los párpados y en el área de los genitales. Tendrá que quitarse la ropa, secarse muy bien y aplicarse una crema medicinal contra quemaduras que hemos traído. Como no podrá usar su ropa de nuevo, tendrá que caminar de regreso, desnudo, envuelto en una toalla. Así que por favor, no se caigan. Este no es un lugar adecuado para nadar.

Hay murmullos angustiosos. Los mismos constructores prueban la solidez de su obra y es Leoncio quien inaugura el recorrido. Pasa sobre las tablas que se bambolean.

—Cuando caminen por aquí —dice calmoso—, háganlo con seguridad; mirando hacia el frente, sin apartar la vista de la otra orilla.

Lo logra.

—Yo no voy a poder hacer eso —vaticina Mendel.

Coincido con él, pero Kidori que está a su lado lo anima:

—¡Claro que puedes, amigo! Convéncete. No pienses en tu cojera. Ya oíste al guía: Actúa con seguridad.

—¿Y si me caigo?

—No te caerás. Mírame a los ojos —y repite—. No te caerás.

—Lo intentaré; después de que todos lo hayan hecho.

—No lo intentarás. Lo harás.

Nadie pierde el equilibrio. Cuando es mi turno me doy cuenta que es más fácil de lo que parece. Los tablones se mueven pero están bien amarrados y son anchos. Exhorto a Mendel, quien ha quedado al último, del otro lado. Todos comienzan a gritarle vítores de ánimo. Ante la algarabía de porras y palmas se atreve a intentarlo. Sus movimientos son titubeantes. Da dos pasos y se tambalea. Vuelve a dar otros dos pasos y vacila de nuevo. Los gritos de aliento se incrementan. Ante cada metro avanzado agita los brazos a punto de perder el equilibrio y se mantiene en pie. Cruzar esos veinte metros sobre el agua azufrada resulta una verdadera odisea para él. Cuando lo logra, todos le aplauden y varios lo abrazan. Sonríe.

—Muy bien —dice Leoncio—. Ahora pongan atención. Volverán a cruzar de regreso, pero ahora habrá una dificultad extra. ¿Ven a los seis jóvenes nativos que están alrededor del lago? Tienen un costal de semillas y frutos podridos que recogieron de la selva. Mientras ustedes pasan por el andador, ellos les arrojarán esos objetos al cuerpo. Créanme, tienen buena puntería. Manténganse imperturbables, mirando al frente, ignorando los golpes que reciban. La mayoría de los proyectiles son suaves; sólo algunos les causarán dolor; nada que no puedan soportar.

Comienza la dinámica. En efecto los niños de la selva son buenos para arrojar objetos, pero están bien aleccionados. Cuando ven que la persona tiene miedo y oscila demasiado, se portan benevolentes; en cambio cuando el participante se muestra seguro, arremeten contra él haciéndolo cruzar una verdadera lluvia de proyectiles.

Varios de los estudiantes tienen que agacharse y algunos incluso ponerse en cuclillas para mantener el balance. Uno de los maestros cae al agua, lo vemos nadar a la orilla a toda prisa. Sufre picazón insoportable. Sale gritando y bailando; se agarra los genitales con evidente dolor. Dos de sus compañeros profesores lo apartan detrás de unos árboles para ayudarlo a quitarse la ropa contaminada.

El incidente alarma a los que todavía no cruzan y eso ocasiona que caigan al agua cuatro mujeres y dos hombres más. Todos salen corriendo y se van al vestidor improvisado.

Al final, Mendel, camina con una expresión de derrota anticipada; consigue llegar hasta la mitad del trayecto, pero va demasiado preocupado por los golpes y acaba perdiendo el equilibrio también.

Los chicos nativos ríen a carcajadas.

Quienes no caímos, tenemos la cabeza y el cuerpo embadurnados de materia orgánica.

Leoncio nos hace caminar a un paraje desarbolado en el que los leñadores clandestinos han dejado troncos cercenados. El piso es lodoso; en algunas partes el fango es tan suave que nos hundimos hasta las rodillas. Quienes hallamos un madero limpio nos sentamos. Los ocho perdedores, desnudos, envueltos en toallas, prefieren quedarse de pie. Leoncio comienza a explicar.

13

—El tema de hoy se llama calumnias y mentiras. En el ejercicio que acabamos de hacer, ustedes fueron acribillados con frutas podridas. Algunas duelen al golpear, pero su verdadero peligro es que distraen. Casi todos estaban tan preocupados tratando de esquivarlas que perdieron la visión de su meta: llegar al otro lado. Así es la vida. Muchísimas personas han perdido sus objetivos porque se la pasan esquivando agresiones, vengándose de las calumnias y creyendo las mentiras que les dicen. El problema final siempre está en lo que aceptamos o no creer. Buda dijo: «Ni tus peores enemigos te pueden hacer tanto daño como tus propios pensamientos». Por otro lado, la Biblia dice: «No confíes más en el hombre, pues no dura más que el soplo de sus narices: ¿para qué estimarlo tanto?».[4] Sobrevalorar la opinión ajena es un grave error, no tomes demasiado en serio lo que los demás piensan de ti. Las mentiras que otros dicen para lastimarte suelen estar precedidas de las palabras *eres, nunca, siempre, nadie, todos*. Por ejemplo: *Eres* tonto, *siempre* pierdes, *nunca* haces las cosas bien. Cuando esos proyectiles te alcanzan y derriban, acabas *creyendo* y dices: *Soy* un inútil, *nadie* me quiere, *todos* me tienen mala fe. Corta de raíz ese mal hábito. ¿No sabes cómo? *Haz como si* todas las mentiras respecto a ti fueran eso, mentiras. *Haz como si* las hubieras descubierto, como si te hubieras dado cuenta de la estafa. No podrá pasar mucho tiempo antes de que sepas la verdad... Vales mucho. Tienes dignidad. Mereces respeto. Si sobreestimas los comentarios afrentosos, acabarás perdiendo el camino como estos pobres infelices —señala a los perdedores del juego; volteamos a verlos; están descalzos con el gesto ceñudo, abrazando celosamente la toalla que cubre su desnudez—. Debo hacer un paréntesis aclaratorio —agrega el líder—, a veces recibimos críticas dignas de ser escuchadas porque no refieren los que *somos*, *siempre* o *nunca* sino lo que hacemos mal de vez en cuando y podríamos mejorar. Por ejemplo, si dos personas dicen *te huele mal la boca*, no pienses que necesariamente te quieren calumniar, en vez de ello lávate los dientes, pásate el hilo dental y usa un buen enjuague bucal; después olvida el tema. No vivas preocupado por lo que ya solucionaste. Por último pon especial esmero en rechazar las que yo llamo *mentiras fatalistas*: Las que te auguran un futuro de muerte, dolor, sufrimiento o ruina... Ese tipo de mentiras te ponen en un estado de pánico y no te dejan prosperar. El ejercicio que acabamos de hacer fue difícil porque estaba fundado en una mentira fatalista. ¡El agua con sales de azufre! —sonríe—. ¡No era cierto! Por favor pasen al frente los que cayeron —lo hacen—. Ahora quítense la toalla.

¡Todos están vestidos!

Tienen la ropa mojada puesta y no sufrieron ninguna quemadura en los genitales ni en los ojos.

El maestro que tropezó primero fue un actor. Al resto de los que fallaron, se les explicó todo detrás de los árboles, donde supuestamente iban a cambiarse de ropa.

Los chicos ríen y hablan al unísono. Muchos se carcajean. Alguien arroja una bola de lodo a Leoncio. De forma intempestiva, el resto de los alumnos comienzan a aventar tierra mojada al instructor. Se desata una batalla campal en la que el principal agredido es el líder del grupo y los niños de la selva que no paran de reír. Después, volvemos a la poza y nos tiramos al agua disfrutando de la maravilla de estar en ese paraíso selvático, nadando en una laguna escondida, rodeados de amigos.

—¿Cuáles son las mentiras en las que han creído? —cuestiono a mis cuatro jóvenes esa noche en la terraza.

Otra vez encuentro una gran resistencia para cooperar, así que cambio la pregunta:

—¿Qué les gustó más de la dinámica de hoy?

—Cuando el Feo se cayó al agua —dice Narciso con una acrimonia que pretende sonar chistosa—, y gritó como niñita, porque pensó que se iba a quemar con el sulfuro, el güey.

Mendel reacciona.

—Tú eres el que vas a llorar como niñita si sigues molestando a Tábata. Hoy te vimos muy mandilón agarrándole la mano.

—¿Y eso a ti qué te preocupa, Feo? No querrás que ella se fije en ti.

—¡Momento! —intervengo antes de que se inicie otra gélida discusión—. Narciso ¿por qué provocas a Mendel diciéndole niñita o feo? Y tú, Mendel, ¿por qué te molestas tanto cada vez que hablas de Tábata? No estoy de acuerdo en que se sigan tratando así. ¡Procuren controlarse!

Vemos cómo la nube de mosquitos que envuelve la lámpara fluorescente pegada a la pared se expande hacia nosotros, pero no nos movemos. Todos traemos repelente. Repito la pregunta del cuadernillo.

—¿Cuáles son las mentiras en las que han creído? ¿Mendel? ¿Puedes compartirnos algo?

—¿Para qué? —contesta—, ¿quieren burlarse?

—Queremos conocerte.

—A mí me da hueva —dice Narciso corriendo su silla hacia atrás—, prefiero irme a dormir.

—Yo también estoy cansada —contribuye Tábata poniéndose de pie con un movimiento que pone de relieve la belleza de su cuerpo. No puede evitarlo; es una mujer de sensualidad innata.

—Tomen asiento —digo a los dos—, vamos a hacer un ejercicio que sugiere el libro. Mendel nos va a compartir cuáles son las calumnias que le han dicho, los proyectiles de afrentas que le han lanzado.

El muchacho no parece dispuesto a convergir.

—Vamos, amigo — Kidori lo anima como en la mañana frente a la poza—. Tú puedes.

Mendel, en un gesto macabro, levanta los ojos pero no la cabeza. Narciso y Tábata vuelven a sentarse.

—Está bien —accede recitando como trabalenguas—. La primera mentira que creí es que mi madre me odiaba. Aunque puede ser verdad porque a ella se le olvidó vacunarme de poliomielitis y estuve muy enfermo cuando fui bebé. Quedé con una pierna más corta que la otra. Ya se dieron cuenta ¿verdad? —sonríe con poquedad; luego se regaña a sí mismo—. Mal chiste, idiota; bueno, sigo. Otra mentira que he creído es que los hombres debemos tener las tres efes; feos, fuertes y formales; eso decía mi mamá, porque siempre he sido de cara tosca, pero un día la escuché decirle a una amiga que yo era un adefesio. Así que creí lo segundo, lo cual quizá también es otra mentira, pero tal vez sea verdad pues mi papá me decía feito, pero él era más, porque tomaba droga; fue militar, con muchas condecoraciones, hasta que se corrompió. Otra mentira más, es que mi mamá haya preferido a mi hermanito sólo porque era rubio y bonito, pero tal vez es verdad porque siempre lo abrazaba. También es mentira que Tábata y yo nos hayamos querido, porque yo la ayudé a recuperarse después de que la violaron. Es mentira que ella me amó… Aunque en todo eso quizá haya un poco de verdad.

Sus comentarios finales nos dejan confundidos. ¿Qué acaba de decir?

—Mendel, ¿tú y Tábata se conocían?, ¿tuvieron alguna relación afectiva?

—Que lo diga ella.

Todos giramos la mirada hacia la modelo.

—Sí, bueno —acepta Tábata—. Mendel y yo somos viejos conocidos.

—¡Diles cómo te he ayudado!

—Después de que me violaron, fui arrojada a la carretera; estaba en shock, muy lastimada. Entonces, casi de inmediato llegó un auto. Alguien se bajó y me cubrió con una manta que ya traía preparada. Era Mendel. Yo no lo conocía, pero creo que me estaba siguiendo. Acosando. Él lo niega.

—¡Tábata, yo nunca te acosé! Fue una casualidad que pasara por ahí esa noche.

—¿Y también fue una casualidad que me visitaras en el hospital, me llevaras flores, y durante varios meses me escribieras cartas de amor, y me siguieras a todos lados?

—No... Eso no fue una casualidad.

Narciso interviene.

—¡Ay Feo, Feíto! Ya veo por qué te molestas tanto cuando Tábata y yo platicamos. ¡Estás celoso!

—Pero no de ti. Eres un gallo de pelea que acabará desplumado.

Narciso ríe.

—Suficiente por hoy —les digo—, vamos a dormir.

Lo difícil de llegar a la cama es tener que esperar nuestro turno en el único baño, sobre todo si alguien como Tábata decide darse una ducha. Aprovecho la espera para escribir; nunca pensé que tendría tanto material. Al fin, los cinco habitantes de la cabaña logramos satisfacer nuestras necesidades básicas y nos disponemos a descansar. Antes de apagar la luz de mi cuarto, escucho que los hombres discuten. Salgo al vestíbulo. Encuentro a Kidori recargada en la columna.

—Déjelos hablar —me aconseja la chica japonesa—. Les hará bien.

Me quedo inmóvil. Las palabras de los muchachos traspasan las endebles paredes de madera.

—A ver, Feo ¿por qué te entrometes en lo que no te importa?

—Porque estás tratando de conquistar a Tábata y yo no voy a permitirlo, ¡por respeto a mi mejor amigo que está en el cielo!

Se escucha una fuerte y horrísona risotada. Narciso se desternilla. No puede parar. Entre carcajadas canta una canción viejísima de *rock and roll.*

—¿Por qué se fue y por qué murió? ¿Por qué el Señor me lo quitó? Se ha ido al cielo y para poder ir yo, debo también ser bueno para estar con mi amor... —sigue riendo de manera fingida—, no seas marica; habla como hombrecito —arremeda a un amanerado—. Ay chulis, mi mejor amigo está en el cielo —luego cambia su tono y embiste con una ringlera de vocablos soeces—. Eres un grandísimo pendejo, no porque estés cojo o tengas la nariz achatada, sino porque tu mente está llena de porquería. ¿Te calientas pensando en Tábata? Pues nunca la vas a tener. Esa mujer va a ser mi vieja. Desde hace años me gusta y yo le gusto, ¡así que aléjate de ella!

—Tu.. ka... no... te... si...

—¡Cállate cabrón desgraciado y métete debajo de la cama donde te gusta dormir! Si te veo cerca te voy a matar a putazos.

La discusión termina.

Kidori se ha puesto roja de coraje. Parece dispuesta a entrar al cuarto de los hombres para defender a su amigo.

—Abusador —susurra— yo creí que...

—Tranquila, Kidori.

Tábata permanece en la habitación. Pero seguro que también ha escuchado todo.

14

A las seis de la mañana, entro al cuarto de los hombres; Mendel no está otra vez; sus zapatos se encuentran debajo de la cama, pero él ha desaparecido; despierto a Narciso.

—¡Oye! ¿Dónde fue tu compañero?

—No sé —dice soñoliento abrazando su almohada.

Subo a la terraza, reviso en el baño y salgo al exterior. Lo encuentro metido en la hendidura del suelo debajo de la cabaña donde se ocultan cables e instalaciones de gas.

—¡Qué haces aquí, Mendel! —lo muevo—, ¿estás loco?, este agujero quizá sea la madriguera de cualquier clase de animal; ¡ahí debajo puedes toparte con serpientes o alacranes! —sale y balbucea—. Profesor las cosas se van a poner muy feas aquí; va a haber mucho llanto y dolor...

—¡Mendel, reacciona! —lo sacudo—, ¡mira dónde estás!, despierta.

Se detiene la cabeza.

—Tengo una fuerte jaqueca. ¿Qué hago aquí?

—Eso mismo te pregunto.

—Hace mucho que no caminaba dormido. Es horrible.

—Ven —lo abrazo por la espalda—, volvamos a la cabaña.

Tábata, Kidori y Narciso miran la escena desde las escaleras; las chicas se ven preocupadas; Narciso sonríe y dice:

—De veras que eres una caja de Pandora, pinche Feo.

Me enfado; esto no puede seguir así.

—Narciso, ya me cansé de tus groserías; las paredes de los cuartos son muy delgadas y todos escuchamos lo que le dijiste a Mendel anoche; no quiero que vuelvas a insultarlo.

—¿O qué?

—O te irás de aquí.

—Eso sería un premio.

—Pues si sigues así, te lo vas a ganar y vendrá con un combo de consecuencias.

—Qué miedo.

No quiero seguir discutiendo; las cosas caerán por su propio peso; siempre pasa.

La actividad de este día nos toma por sorpresa. En la explanada principal han erigido diversos elementos geométricos de plástico inflados con aire. Nos reparten máscaras y rifles de *paintball.*

—Hoy vamos a hacer un torneo de *gotcha* —dice el líder—, calibraremos el impacto de las bolas a cuarenta metros por segundo, después a sesenta y por último a ochenta; al aumentar la velocidad en cada ronda, se incrementará el dolor que sentirán si son alcanzados por las bolas. Pueden llegar a sufrir hematomas o ruptura de la piel. Cuando un jugador sea marcado en el tronco o en la cabeza, se considerará muerto.

La guerra de *gotcha* comienza. Narciso, quien parece el más experimentado de mi equipo en este ministerio toma el liderazgo, nos enseña tácticas de ataque, pero ninguno de sus soldados parecemos muy dispuestos a dejarnos acribillar; sólo Kidori le sigue el ritmo. La japonecita y el galán defienden la honra de la cabaña con denuedo y terminan siempre siendo los más longevos.

El ejercicio se alarga casi hasta el atardecer; obtenemos el sexto lugar. Nada de qué vanagloriarse.

Después de descansar, nos reunimos en el salón de plenarias; los muchachos hablan sin parar, enseñan sus moretones y relatan las formas en que ametrallaron o fueron ametrallados. Los altos niveles de adrenalina permanecen burbujeantes.

—Hoy en día, la competencia entre empresas y gente se ha vuelto como un juego de *gotcha* —explica Leoncio—. ¡Si te descuidas, te eliminan! Las personas alrededor son agresivas, usan caretas y armas, nos miran en constante asedio; quizá ustedes, durante su educación universitaria no han sido muy aleccionados para pelear porque nuestra casa de estudios se instituyó sobre la ideología del amor al prójimo, sin embargo, ni aún las personas más piadosas pueden ser completamente pacifistas. Para lograr respeto, hay que levantar la voz, darse a valer, saber discutir, encarar a los abusadores, atreverse a luchar... ¿ustedes creen que Ghandi, Mandela o la Madre Teresa eran tímidos y dejados?, es cierto que promulgaron el amor y la paz, pero lo hicieron a fuerza de riñas, choques y disputas contra miles de opositores. Después de recibir el Premio Nobel, la madre Teresa dio un agresivo discurso en la ONU sobre la falta de compasión en el mundo, las guerras, el aborto, el asesinato de niños, la explotación sexual, la indiferencia ante la pobreza extrema; cuando terminó, había ofendido a casi todos los mandatarios, pero le aplaudieron de pie. El mismo Jesucristo entró en el templo y echó de allí a todos los mercaderes rufianes, volcó las mesas de los que cambiaban dinero y los puestos de los que vendían palomas, gritando: «escrito está, mi casa será llamada casa de oración, pero ustedes la están convirtiendo en cueva de ladrones»;[5] minutos después se le acercaron muchos enfermos a pedirle ayuda y él los sanó; esto nos muestra que fue compasivo con quienes merecían compasión y duro con quienes merecían dureza. ¡Fortalezcan su carácter!; si siempre aguantan los abusos de otros en silencio tratando de condescender, perderán su dignidad. Es mejor un buen enfado a tiempo que muchos malestares escondidos, o como dice el refrán «más vale un colorado que mil descoloridos», si confrontan al amigo, familiar o compañero que les falta al respeto para que no lo haga más, se producirá tensión y distanciamiento entre ustedes, pero recuperarán el control de sus vidas; total, siempre, ¡invariablemente!, y esto es lo más hermoso de la personalidad magnética, podrán acercarse después a la persona con quien discutieron para conciliar intereses y sanar la relación; pero si la persona no quiere reconciliarse, no recibe sus disculpas o insiste en seguir siendo enemiga, no se preocupen ni se atemoricen, mantengan la cara en alto y la dignidad intacta. El maestro le dijo a sus discípulos: «si alguno no los recibe bien ni escucha sus palabras, al salir de esa casa o de ese pueblo, sacúdanse el polvo de los pies»;[(6)] una señal de desprecio y distanciamiento. ¿No puedes hacerlo?, ¿tienes la costumbre de agachar la cabeza y callar ante las afrentas?, ¿te crees débil?, ¡pues haz como si fueras fuerte!, ¡haz como si no merecieras más injurias!, ¡haz como si requirieses usar estrategia de batalla!, es otra recomendación del gran guía: «mira que los mando como ovejas en medio de lobos, por tanto, sean astutos como serpientes y sencillos como palomas».[(7)] ¡Toda personalidad impactante es astuta y sencilla a la vez, sabe ser amable y marcar límites!, ¡ah!, una última lección que aprendimos en el *gotcha*: *cuando la lucha es difícil no debemos pelear solos; requerimos un equipo de apoyo;* aliarnos con débiles y negligentes nos llevará a la derrota, pero unirnos a gente activa, valiente y atrevida, nos brindará oportunidades y protección.

El líder continúa dando admoniciones; pienso cuán necesario es este tema para algunos, pero temo que la lección pueda ser magnificada por otros que se han mostrado siempre dispuestos a tirarse los trastos a la cabeza.

Volteo a ver a mis alumnos; las sillas de Narciso y Tábata están vacías; voy hacia Kidori y le pregunto por sus compañeros; la chica me dice que se fueron desde el principio de la charla.

—¿Por qué no me avisaste?

—Porque ellos son mayores de edad.

—Maldición.

Salgo corriendo sin pedir disculpas al expositor; es cierto que los muchachos son adultos, pero también es cierto que están bajo mi tutela y yo soy responsable de lo que pase durante estas dos semanas.

Entro a la cabaña corriendo y voy directo a la habitación de Narciso; como la puerta no se asegura por dentro, pienso que pudieron atrancarla con algún objeto; no me equivoco; la empujo con todas mis fuerzas y boto una silla que estaba en el camino.

Narciso se encuentra sentado sobre la cama, vestido, pero Tábata, junto a él, ha sido despojada de la blusa y el sostén; se sobresaltan ante mi irrupción; ella no hace el menor intento de cubrir la desnudez de sus pechos. Narciso reclama:

—¿Qué sucede? ¿No le enseñaron a tocar la puerta?

—Tábata, vístete. Los dos me acompañan. Vamos a platicar con el director del campamento.

La joven se levanta despacio y se mueve hacia mí sin temor a exhibirse. La miro a la cara, pero no puedo dejar de aturdirme por la perfección de los vastos senos desnudos que veo de reojo. Sus pezones son perfectos. O nunca fueron reconstruidos, o el cirujano que lo hizo es un artista excepcional.

15

En medio del comedor y el salón de plenarias hay una pequeña oficina que no conocía. Ahí nos reunimos Leoncio, Narciso Tábata y yo. Explico a grandes rasgos lo que ocurrió, y la forma en que Narciso ha causado divisiones en mi equipo. El líder guarda silencio mientras lee su expediente.

—Vaya —exclama—, eres todo un caso, Narciso. Vamos a hablar claro. Pesan sobre ti acusaciones de complicidad en el asesinato de Oscar. Según está escrito aquí, el director de la escuela abogó a tu favor diciendo que eras proclive a reintegrarte a la sociedad y el juez te dejó libre en vigilancia; tu situación es delicada; ¿no te has dado cuenta? Si te expulso del campamento, puedo solicitar que te echen también de la universidad y tu abogado tendrá que presentar un plan alternativo ante el juzgado. ¿Eso es lo que quieres?

Narciso baja la guardia. Me molesta no haber leído en mis documentos los datos que Leoncio leyó en los suyos. O fueron omitidos, o Leoncio los conocía por otros medios.

—Pido una disculpa —dice el fortachón usando modos corteses que jamás le he visto—. No volverá a ocurrir. Pero quiero aclarar algo: Tábata y yo nos queremos desde hace mucho tiempo; la admiro y creo que somos el uno para el otro. Les pido que respeten nuestro cariño.

—¿Es eso cierto, Tábata? —pregunta Leoncio.

La chica baja la vista y aprieta los dedos; se ha ruborizado y su dermis color miel, ha tomado una tonalidad marrón. ¡Que extraña mujer! Tímida, dulce, recatada al hablar, pero sensual en extremo y orgullosa de mostrar sus atributos físicos.

—Creo que sí —duda—no estoy segura; sí, a mí me gustaba

Narciso desde hace tiempo, pero Luciano el Loco nunca me dejó acercarme a él.

—También te gustaba mi sobrino Oscar —la ataco punzante—, y, qué casualidad, ¡también Luciano el loco se interpuso!

Tábata se turba aún más; cierra los párpados con pesar y reconoce dócilmente.

—Lo siento. Tiene razón, estoy muy confundida. En realidad no sé a quien quiero ni quién me gusta...

Eso suena más lógico.

—Hace poco sufriste un evento traumático —dice Leoncio—, un amigo tuyo asesinó a otro frente a ti. Es natural que te sientas sola, perturbada y necesitada de afecto. Pero te recomiendo una cosa. Procura usar este retiro de estudio para reflexionar; ejerce dominio de tus pensamientos y emociones, cambia conductas que te ayuden a saber lo que realmente deseas; mientras tanto, por favor, no te involucres afectivamente con nadie, y por supuesto, tampoco sexualmente.

—De acuerdo.

—Narciso —agrego—, ¿también tú estás de acuerdo?

—En parte. Ella es mi amiga. No volveremos a tener acercamiento sexual aquí, pero ninguno de ustedes puede impedirnos que charlemos y cultivemos nuestro afecto.

El caso es intratable.

Leoncio y yo nos damos por vencidos.

—Sólo tengan cuidado.

El programa de trabajo para hoy está conformado por ejercicio físico extenuante; correr, escalar, nadar en un río, volver a correr; me pregunto si los organizadores no se estarán arriesgando a que algún sedentario como yo sufra un ataque cardiaco.

Al terminar la mañana regresamos al campamento; sufro malestar generalizado; al fin, jóvenes y mentores nos dejamos caer al césped, rendidos. Me pellizco la lonja y murmuro imprecaciones.

Narciso se arrastra hasta un árbol para recargarse. De inmediato Leoncio corre hacia él.

—¡Cuidado!, ¡cuidado! —lo previene—, ¡estás recargado bajo un nido de hormigas de fuego!

El joven salta y se sacude.

—Ouch, —emite sus singulares interjecciones—, ¡chin... pu... mi... madre!, duele; ¡son como picaduras de abejas!

Nos acercamos a él; se quita la camisa bailoteando; algunos lo ayudamos a sacudirse; casi de inmediato empieza a respirar con dificultad; se lleva la mano a la garganta como si tuviese un ataque de asma.

—Tranquilízate —le dice Leoncio—, ven, siéntate aquí.

El muchacho, empalidecido, inhala y exhala despacio por varios minutos; poco a poco recupera el color y la oxigenación; nos muestra los piquetes de la espalda; se le están formando algunas bolitas con líquido.

Leoncio explica:

—Las hormigas de fuego provienen del Amazonas; véanlas, son pequeñas y agresivas; trepan a la persona que está cerca y de inmediato comienzan a picarla inyectando veneno. La ponzoña se siente como el pinchazo de aguja caliente, ¿verdad Narciso? Cada hormiga es capaz de picar muchas veces; las picaduras generan ampollas, se inflaman y duelen durante varios días; el mayor peligro es que algunas personas, como Narciso, son alérgicas al veneno y no sobrevivirían a un ataque masivo; así que tengan cuidado; los insectos en la selva a veces son traicioneros.

Mendel levanta la mano.

—Profesor, dijo que Narciso estaba debajo del nido ¿cuál es el nido?

—Esa masa ovalada —señala—, como pelota de fútbol americano adherida al árbol; la especie de esta zona es diferente a otras porque funda su hormiguero en un nido de termitas; dentro puede haber medio millón de hormigas. Bien, después de este breviario cultural, quiero que nos concentremos en el tema central de hoy. ¿Están cansados?

—Sí —contestamos varios al unísono.

—Pues pongan mucha atención. Hemos comenzado el segundo módulo del curso; AUTO-CUIDADO; en los días pasados analizamos cómo los pensamientos afectan nuestra imagen; ahora hablaremos sobre cómo los actos la afectan también.

Observo a Mendel. Está en éxtasis mirando la hilera de hormiguitas. Se acerca discretamente al árbol y deja que se le suban algunas hormigas a la mano, luego regresa al grupo. ¿Permite que le piquen? Ese chico está mal de la cabeza.

Leoncio sigue explicando.

—AUTO-CUIDADO significa ser sanos, vestirse bien, arreglarse mejor, ser limpios, saber hablar. De inicio, el agotamiento que sienten demuestra cuan perezosos han sido para cuidar sus cuerpos. Por aquí debemos empezar: ¿Quieren tener una personalidad de impacto? ¡Ejercítense a diario!; la flojera, el sedentarismo, la ingestión de drogas permitidas o no, destruyen sus cuerpos. ¡No fumen, no tomen alcohol, no coman por glotonería! Fortalecer los músculos es el principal motor que acelera el metabolismo. Antes de que se lastimen los tobillos, rodillas o cualquier otra articulación baja por cargar peso excesivo, ejercítense; dejen de comer fritangas y carbohidratos en demasía. Una panza abultada es símbolo de negligencia o enfermedad. Sin embargo, y esto es muy importante aclararlo, existen diferentes genotipos y hay quienes nacieron para estar robustos. La robustez es ontológicamente agradable, siempre que sea sana; lo que importa del AUTO-CUIDADO es la salud, no las tallas. Si vives en una vorágine de trabajo y actividad frenética, detente, come a tus horas y tómate un tiempo para descansar. Un cuerpo maltratado, tarde o temprano le cobra la cuenta a su dueño.

Leoncio prosigue. No soporto más y me levanto para ir con Mendel; lo aparto del grupo.

—Déjame verte ese brazo —le digo.

Ha permitido que las hormigas de fuego lo llenen de picaduras ¡en el mismo lugar donde se hizo las cortadas con la navaja!

—¿Estás loco? ¿Por qué te lastimas?

—No lo sé.

Ignoro como actuar o qué decir; estoy frente a un caso digno de análisis para el mejor cónclave de psicólogos. Yo sólo soy profesor de literatura, aunque mi esposa es psicoterapeuta y siempre está hablando de sus técnicas para descubrir el pasado oculto de sus pacientes. ¡Cómo me gustaría que ella estuviera aquí!

Tomo del brazo sano a Mendel y lo llevo aparte.

—Quiero que me cuentes más sobre ti.

—Pero Leoncio está dando una clase.

—¡Olvídate de la clase! ¿Qué rayos te pasó en tu infancia?

—No lo sé.

—A ver. Haz memoria. Ayer dijiste que tienes otro hermanito a quien tu mamá prefería porque era rubio y bello. ¿Dónde está?

—En un orfanato para niños especiales; tiene retraso mental.

—¿Nació mal?

—No; nació sano.

—¿Entonces, enfermó?

—No. Fui yo quien le provoqué el daño cerebral.

—¿Qué dices? —me detengo, luego lo empujo cortésmente pero con firmeza y lo obligo a entrar al salón de plenarias que se encuentra vacío. Acomodo dos sillas frente a frente y lo inquiero.

—Explícame lo que acabas de decir.

16

Mendel parece más desenvuelto que otras veces, como si las picaduras de hormigas le hubiesen inyectado adrenalina.

—Mis padres y yo vivíamos en un departamento muy bonito que el ejército le daba a los altos rangos —comienza—, pero mamá siempre estaba neurasténica; decía que yo la ponía de malas; se quejaba de tener dolores de cabeza y comenzó a ir al hospital militar para que la atendieran; me llevaba con ella; una vez en el auto me di cuenta que en realidad no tenía migrañas, porque iba como nerviosa por su apariencia, pintándose la boca, maquillándose y peinándose; yo era un niño de nueve años, pero supe que algo andaba mal con ella. El doctor que la atendía era alemán y ella lo miraba con mucha admiración. Como sus dolores de cabeza no se le quitaban, íbamos a ver al doctor por lo menos dos veces a la semana. Llegó un momento en el que mi mamá ya no me dejaba entrar al consultorio como antes y yo tenía que esperarla afuera. Me aburría mucho porque las consultas eran largas. Ella hacía eso a escondidas. Le decía a mi papá que en el hospital militar siempre le cambiaban de médicos y se quejaba del mal servicio; era mentira. Entonces quedó embarazada y llegó mi hermanito; un bebé rubio y hermoso, ese tipo de niños increíbles que salen en los anuncios de televisión. Para entonces yo ya tenía once años de edad y guardaba un secreto que me carcomía por dentro. Sabía que mi hermanito era hijo del doctor, pero el bebé enternecía a todos. Una vez oí discutir a mis papás porque a él le causó desconfianza la belleza del bebé. Ella le dijo que tenía familiares franceses; guardaba varias fotos dizque de sus tíos y así le demostró a mi padre que, por caprichos de la genética, al fin un niño había heredado los ojos claros. Eso lo satisfizo. Los dos apreciaban mucho la belleza física y estaban orgullosos del bebé bonito porque cuando había reuniones se lo enseñaban a todos y a mí ni siquiera me presentaban como su hijo. Poco después, mi mamá consiguió trabajo como recepcionista en el hospital militar y a mí me dejaba cuidando a mi hermanito; yo le tenía mucho coraje y le hacía maldades: lo obligaba a llorar, lo pellizcaba, le jalaba las orejas y lo jaloneaba; una vez hasta le quemé los pies con un encendedor; siempre lo estaba lastimando. Un día vi un documental de televisión en el que explicaron que cuando a los bebés les falta oxígeno al nacer, sufren daño cerebral, entonces, comencé a jugar a asfixiar a mi hermanito con la almohada. Estuve a punto de matarlo varias veces, pero siempre lo dejaba respirar cuando ya se estaba sofocando. Lloraba con todas sus fuerzas y se desgarraba la garganta. Mis papás llegaban de trabajar y no se daban cuenta de lo que yo había hecho, porque el bebé dormía mucho. Tardó en gatear más de un año y casi dos para caminar. Todos decían que era muy flojo, pero entonces lo llevaron al pediatra que le hizo varias pruebas y les preguntó si no sabían que el niño tenía una deficiencia mental. Fueron con un neurólogo y ahí les confirmaron el retraso mental del bebé. Dicen que nació así, pero yo sabía que la culpa era mía. Lo asfixié con la almohada muchas veces y le provoqué el daño cerebral. Entonces comencé a levantarme dormido por las noches y, así, dormido, buscaba cuchillos para cortarme la piel. Mi papá, que estaba en un programa antidrogas del ejército, de la noche a la mañana comenzó a drogarse. Traía pacas enteras de cocaína que escondía en el baño. Las cosas se pusieron muy feas en mi casa; papá decía que no podía ser posible que tuviera dos hijos monstruosos, un cojo y un retrasado mental. Yo me la pasaba encerrado en mi cuarto. Cuando papá llegaba drogado, entraba a mi habitación y me levantaba de la cama a cuerazos sin importar si estaba dormido o no; siempre me decía que era un huevón; más de una vez me dejó heridas a flor de piel por que me pegaba muy duro. Mi mamá no me defendía, sólo abrazaba a mi hermanito a quien le había dado por babear. Yo odiaba a toda mi familia...

Los jóvenes y mentores comienzan a llegar al salón en el que nos encontramos Mendel y yo. Por lo visto, Leoncio planea continuar la conferencia bajo techo, quizá para evadir, en lo posible, los mosquitos vampiros de la tarde.

Mendel y yo permanecemos sentados frente a frente; le digo.

—Ahora entiendo por qué te gusta acostarte debajo de la cama.

—Sí —responde—, cuando me escondía para dormir, no me pasaba nada, porque aunque mi padre llegara drogado con ganas de darme cintarazos, si no me encontraba sobre el colchón se iba y le pegaba a mi mamá o a mi hermanito.

—A ver Mendel —le digo—, de entre las secuelas que tienes, ser sonámbulo o dormir en lugares encerrados no es tan grave; lo que en realidad me preocupa es tu afición al dolor. Dejaste que te picaran varias hormigas de fuego y ahora tienes el brazo lleno de ampollas. ¿No oíste lo que explicó Leoncio? El veneno de esos insectos puede llegar a matar.

—Sí... y yo me quiero morir.

—¿Perdón?, ¿puedes repetir eso?

—Me quiero morir —lo dice sin tapujos.

—A ver —siento las sienes calientes, a punto de estallar—, cuando tratabas de ahogar a tu hermanito con la almohada ¿te apoyabas en este brazo? —señalo su extremidad rajada a navajazos y picada por hormigas—. ¿Así? —me inclino haciendo la mueca de que tengo una almohada frente a mí y la estoy apretando con el codo doblado.

—Tal vez...

Mi esposa estaría orgullosa de ver cómo he descifrado los traumas escondidos de ese muchacho; aunque claro, no fue nada difícil, él me dio todas las pistas, como si quisiera evidenciarlas a gritos. ¿Qué sigue?

—¿Has pensado en suicidarte?

—Sí, muchas veces, ahora mismo, todo el tiempo.

—Pues debes quitar eso de tu mente. Arrancarlo desde lo más profundo. ¡Escúchame bien!: tú no le causaste el daño cerebral a tu hermanito; él nació así; ¡compréndelo!, sofocar a un niño con la almohada no le produce retraso mental; pudiste ahogarlo, sí, pero no lo hiciste; cualquier médico te lo puede confirmar. Tienes que comprobar lo que te digo; deja de castigarte; no vuelvas a pensar en el suicidio. Tu hermanito nació enfermo —lo aprieto de un hombro para obligarlo a levantar la vista—, tú no lo dañaste a nivel neuronal.

El salón se ha llenado de jóvenes y mentores; todos hablan al mismo tiempo. Kidori se ha sentado muy cerca de nosotros y nos observa en silencio.

17

El sitio en que nos encontramos Mendel y yo, ya no es propicio para las confidencias, mas, por otro lado, mi mente está saturada y ya no piensa con claridad.

Giramos nuestras sillas y nos incorporamos a la clase.

Leoncio enciende el proyector y comienza a exhibir una colección de fotografías que muestran diversas facetas del arreglo personal. Esta vez es Gaviota quien explica:

—El atractivo humano reside principalmente en la limpieza. Si el rey más excelso deja de bañarse, rasurarse y lavarse los dientes, en una semana parecerá vagabundo, y los vagabundos son desagradables entre otras razones por *su suciedad*. Imaginen que la mujer más bella del planeta se acerca a platicar con ustedes mostrando sedimentos de comida entre los dientes y los obliga a guardar la respiración por su aliento fétido. ¡La suciedad anula la belleza, mientras la limpieza, la potencia! Empiecen por lavarse la boca después de cada comida y usar hilo dental antes de dormir. Nunca se acuesten sin haber retirado *con hilo* las partículas orgánicas (susceptibles de llenarse de bacterias y descomponerse) que se quedan atrapadas en la dentadura y que el cepillo no puede sacar. Masticar chicle no resuelve el problema de la limpieza bucal. ¿De qué serviría echar perfume a materia podrida que podríamos retirar? Sean escrupulosos en su limpieza. No se permitan tener las *uñas sucias.* Córtenlas periódicamente; incluyendo las de los pies (hombres que están aquí), ¡aunque nadie se las vea! Y, mujeres, procuren también arreglarse y pintarse las uñas sin dejárselas crecer en exceso. Las uñas muy grandes y llamativas dan un mensaje confuso (entre envanecimiento e ineficacia), pues todos comprenden que con ellas es difícil usar la computadora, escribir en un teléfono inteligente, usar aparatos *touch screen,* manejar dispositivos modernos; en suma *trabajar*. Otro punto importante: observen su vello facial. Hombres, eviten dejarse la barba o el bigote a medias. Es mejor tenerlos crecidos (no demasiado) y arreglados, que seguir esa moda nociva que se apega al refrán: *barba y bigote naciente, suciedad incipiente.* No olviden que, según la psicología, los hombres que se dejan crecer pelo en la cara lo hacen muchas veces para ocultar algo que les avergüenza: acné, rostro cacarizo, mala dentadura, nariz prominente, arrugas, juventud excesiva, etcétera. En algunos casos usar barba y el bigote se justifica, pero de no ser así, ¿para qué jugar a parecer, por deporte, personas desaseadas?, ¡rasúrense al ras todos los días! Respecto al cabello, y esto va para todos, lávenlo con champú y enjuague a diario; el cabello es un reflejo de su aseo general; revela si acaban de dormir, si se bañaron, si están enfermos, si tienen interés en las demás personas. Muchas veces, aunque se peinen, el cabello recupera formas y apariencias delatoras. En este sentido, el primer indicio de limpieza lo dan *los pelos*. Una mujer con pelos en las axilas se ve sucia. Los pelos que salen de las orejas, delatan vejez. Los pelos en medio de lunares o verrugas, denuncian descuido. Pelos en los pómulos, muestran apatía. Pelos asomando por la nariz (a veces con pequeños mocos), indican negligencia. Por otro lado, recorten sus cejas para que no parezcan bigotes zapatistas sobre los ojos, pero ¡jamás se las quiten para sustituirlas por una raya! Cuiden sus pestañas, rasúrense donde deben y pongan especial interés en la cabeza. ¡Aún si es domingo y no tienen planes de salir, por respeto a sus familiares y a ustedes, lávense el cabello! Si no pueden hacerlo por unas horas, recójanselo, pónganse una boina o una gorra, pero jamás muestren un pelo descuidado. Sean limpios, los vean o no los vean. Lo que hacemos en secreto, tarde o temprano se filtra a la luz. Así que aunque estén solos arréglense. Pónganse desodorante siempre. Todo el tema de la buena imagen corporal está ligado a la limpieza. Aunque usen camisas elegantes, si se les marcan grandes círculos de sudor en las axilas, causarán asco. Por la misma razón, no compren ropa que parece avejentada sólo porque está de moda. Muchos jóvenes limpios, echan a perder su imagen al dejarse llevar por la corriente comercial que les dicta usar prendas rotas, arrugadas o descoloridas. Hay ropa que parece sucia, aunque esté limpia. Las prendas sobrias y elegantes, muchas veces son hasta más baratas porque no están de moda; si las eligen, aunque no ostenten una marca rimbombante, *ustedes* se verán bien. Lo importante de la ropa es que luzcas tú, no ella. Si alguien te dice al llegar: *que bonito suéter traes puesto*, ¡te equivocaste de suéter!; si por otro lado la gente te dice: *qué bien te ves, no sé por qué,* ¡entonces te pusiste el suéter correcto. ¿Para qué quieres que las miradas se posen en el sello de tu camisa o en los agujeros de tus pantalones? Las prendas de vestir no son importantes. *Tú eres el o la importante.* Es a ti a quien deben notar. Por eso, procura que todo lo que traes puesto pase desapercibido pero ¡te enmarque, potencie tu atractivo, eleve tu magnetismo y te haga resaltar como persona!

Gaviota termina de hablar.

Reparte hojas de papel y le pide a los muchachos que hagan un autoanálisis de sus hábitos de limpieza y vestido.

En ese momento Mendel se escabulle y procura no toparse conmigo por el resto de la tarde.

Esa noche lidio con una gran confusión mental. No siento la claridad de juicio necesaria para hacer la habitual reunión con mis alumnos en la terraza. En vez de ello voy con Leoncio y le pido que me preste mi teléfono celular. Necesito hablar con mi esposa, preguntarle métodos psicoterapéuticos, pedirle orientación sobre cómo guiar a un joven con obsesiones suicidas.

Leoncio me presta su propio celular, quizá para inhibir mis intenciones de hacer una llamada muy larga. Su estrategia es efectiva.

Marco el teléfono de mi casa, saludo a mi esposa y le digo que todo está muy bien.

Me voy a mi habitación, tomo mi cuaderno de notas y comienzo a escribir cada detalle del campamento. Relato las conversaciones que he tenido con los muchachos, los pormenores de nuestras diferencias y la confusión de mis sentimientos. Por primera vez en muchos años trabajo como un verdadero escritor. Redescubro que para escribir sólo se necesitan buenos motivos, y en ese lugar me sobran.

18

Estoy desvelado. Pasé toda la noche escribiendo.

Me propongo hacer amistad con Narciso y camino junto a él en los senderos selváticos intentando entablar conversación; no coopera; ni siquiera contesta mis preguntas; en cuanto puede, se separa de mí.

Llegamos a una zona en la que la universidad instaló enormes tirolesas o *ziplines*; cables de acero que cruzan cientos de metros por el aire desde la copa de los árboles más altos.

Recibimos instrucciones básicas, nos ponemos los arneses y enganchamos las cuerdas de seguridad a los mosquetones; comenzamos a subir escalinatas de madera hasta llegar a la primera plataforma; el paisaje desde esa altura se ve majestuoso e imponente. Dos ayudantes bien capacitados usan poleas de doble rodaje de las llamadas *Petzl* para engancharnos al cable de acero.

La primera lanzada es espeluznante, pero una vez que verificamos la exención absoluta de peligro y la factibilidad de pender incluso de cabeza o dar maromas en el aire, los estudiantes comienzan a disfrutarlo. Yo prefiero movimientos menos extrovertidos; me tiro al vacío asido con todas mis fuerzas a la cinta sobre mi cabeza; al momento de deslizarme, inmerso en tan portentoso paisaje aéreo, agradezco que los autores del concepto nos hayan permitido a los maestros también participar en esas actividades. Literalmente volamos sobre los árboles; la sensación de libertad y conquista es inigualable.

Al fin llegamos a una tirolesa diferente, mide casi mil metros de longitud y no termina como las demás en una base fija, sino que baja y vuelve a subir formando una especie de columpio; así, el participante al lanzarse se desliza a toda velocidad, alcanza el punto más bajo y continúa hacia arriba perdiendo la inercia poco a poco; ¡cuando se detiene en el punto más alto del otro lado, regresa en sentido contrario!; el vaivén se repite una y otra vez hasta que se para en el centro de la U, pero el punto resulta alejado del suelo y los dos ayudantes precisan poner una escalera de tijera gigante para subir y cargar al viajero sobre su arnés ayudándolo a descender.

La experiencia es a tal grado vivificante y fuera de lo común, que muchos piden repetirla; entonces ocurre algo extraño: el último en aventarse, un maestro joven y atlético, grita con euforia, golpeándose el pecho como gorila y dando giros impetuosos en el aire; al terminar, asegura que él es un campeón, un triunfador, un ganador sin límites y, como tal, puede bajarse solo.

Leoncio lo deja pendiendo de la línea y nos conduce hasta un sitio acordonado.

—A todos nos encanta volar —explica—, como lo hicimos hace unos minutos, ¡no hay nada más emocionante que disfrutar el privilegio de conquistar el espacio abierto y sentirnos poderosos!; pero ese profesor —señala hacia arriba—, de pronto se creyó superior a todos; ¡a ver si logra pisar la tierra sin romperse la cabeza!, voy a usarlo como ejemplo; él es apuesto y atlético ¿verdad?, mentor de la cabaña número seis, ¿quiénes son sus alumnos? —cinco chicos levantan la mano—, no imiten a su maestro en lo que acaba de hacer; tener arranques de poderío y amor propio excesivo, corrompe la belleza física; hay artistas físicamente apuestos que por su soberbia parecen despreciables ¿sí o no?, según la mitología griega Hércules escribió entre los montes Abila y Calpe la rúbrica *Non plus ultra* que significa *no hay nada más allá*; España adoptó esta frase como su lema porque para ellos, pasando sus fronteras no había nada; siglos después, se retractaron y alteraron su lema a *plus ultra,* que significa *más allá*; ¿por qué hicieron eso? Nada más ni nada menos por el descubrimiento de América. ¡Qué lección de humildad! Quien sólo piensa en sí mismo, se cree el *non plus ultra* y tarde o temprano es despreciado por su corta visión. Vean al profesor: sigue pataleando, colgado del cable mientras nosotros estamos aquí sin mover un dedo; la opinión pública perdona casi cualquier pecado excepto el de la arrogancia; si insultas a quienes pueden ayudarte, te quedarás solo y morirás suspendido... Ahora quiero que miren frente a ustedes; ese terreno plano está rodeado con señalamientos amarillos y letreros de peligro; véanlo bien, parece inofensivo, ¡pero es un pantano!; de los más peligrosos en esta selva; si un animal o una persona cae ahí, se hundirá y morirá; observen —arroja una enorme piedra; la roca permanece sobre la superficie unos segundos antes de comenzar a sumirse muy despacio—, quiero que piensen esto —concluye su lección—: existen dos extremos mortales en la personalidad; uno es el cable de la soberbia, el otro es el pantano de la inseguridad; el secreto para proyectar una imagen magnética se llama *equilibrio*; ser seguros de nosotros mismos, pero humildes y sencillos a la vez; saber volar sobre la infinitud de la confianza, sin olvidar que hay gente importante y valiosa *plus ultra.* Cuidar de no caer nunca en el pantano de la timidez y la vergüenza mientras caminamos por un sendero de tierra firme ¡amando a la familia y respetando a los amigos!; la lección de hoy es el equilibrio; ¿quedó clara?

Leoncio termina su discurso y recibe un aplauso espontáneo; entonces escuchamos los gritos del profesor que ha quedado colgado en el cable de acero pidiendo ayuda; vamos hacia él; hace bromas desde arriba.

Como lo supuse, es un actor; no podía ser de otra forma. Entre todos, lo ayudamos a bajar; sus pupilos lo abrazan.

Nos hallamos comentando cuan acertada y edificante ha sido la dinámica cuando Kidori se acerca con gesto preocupado; me dice:

—No veo a Mendel por ningún lado.

—Estaba sentado junto a mí frente al pantano.

—Sí, yo también lo vi, pero ya no está.

Siento un leve mareo y las palpitaciones me taladran la sien; recuerdo lo que platicamos hace poco.

«El veneno de esos insectos puede llegar a matar».

—Sí...y yo me quiero morir.

—¿Perdón?, ¿puedes repetir eso?

—Me quiero morir.

—¿Has pensado en suicidarte?

—Sí, muchas veces, ahora mismo, todo el tiempo».

Corro con Kidori de regreso hacia la ciénega.

—¿Dónde estás? —grito— ¡Mendel! ¿Dónde estás?

Lo encontramos.

Kidori vocifera con alaridos agudos, mientras yo le ordeno que no se mueva.

Mendel traspasó los señalamientos de peligro y cayó al pantano. Sus piernas han desaparecido debajo del lodo y el resto de su cuerpo se hunde lentamente. Ha cerrado los ojos y respira despacio como despidiéndose del viento.

19

En menos de un minuto todos los jóvenes y maestros han llegado hasta el terreno de peligro.

Leoncio comprende de inmediato que ha ocurrido un accidente, pero no cualquier accidente: un alumno del campamento está a punto de morir.

Con asombrosa rapidez se pone un arnés de los que usamos para las tirolesas, asegura dos cuerdas de seguridad al árbol más cercano y se inclina hacia el pantano dándole la mano a Mendel. El muchacho se ha hundido hasta el pecho y casi no puede mover los brazos. Asustado por lo que parece un camino sin retorno, estira la mano al fin. Leoncio la toma con fuerza y jala; los mosquetones afianzados a su cintura rechinan, la cuerda se tensa; el joven no logra aguantar el tirón; se suelta, sigue hundiéndose.

—Pronto —grita el líder con gesto de aprensión pero sin perder el control—, ¡denme más cuerda!, desaten esa y colóquenla en una rama alta; ¡rápido!

Sus ayudantes se desplazan con agilidad; el nerviosismo los hace fallar en los amarres; ¡queda poco tiempo!; el joven se ha hundido hasta el cuello; veo en su rostro el anhelo extemporáneo de vivir quizá motivado tanto por los gritos externos de sus compañeros como por el precario instinto de conservación que se le ha despertado tardíamente. Sus brazos ya desaparecieron por completo debajo del lodo que está comenzando a invadirle la boca y nariz; no podrá sujetarse de nadie, aunque quiera.

Leoncio termina de asegurar su arnés, ahora desde dos ángulos diferentes, les dice a todos los jóvenes varones que jalen las cuerdas en cuanto él les de la orden, entonces toma impulso y salta a la ciénega cayendo junto a Mendel; lo abraza y grita que empiecen a jalar. Somos tantos los comedidos y usamos tanta energía magnificada que nos pisamos unos a otros, tropezamos, caemos al piso y en pocos segundos logramos sacar a Leoncio arrastrando a Mendel.

Ambos tienen el cuerpo embadurnado de un lodo muy pegajoso; se quedan en el suelo, sofocados.

Kidori se acerca a su compañero y le da una bofetada.

—¡Eres un idiota!

Mendel se derrumba boca abajo.

Regresamos al campamento.

El ánimo de los muchachos ennegrecido por la incertidumbre y la confusión, ocasiona un molestísimo silencio colectivo. Discretos rumores que corren de boca en boca califican lo ocurrido no como un accidente sino como un intento de suicidio. Eso genera mayor extrañeza aún. ¿A qué deschavetado cerebro puede ocurrírsele la idea de quitarse la vida después de un ejercicio tan vivificante en medio de ese paisaje inspirador?

Llegamos a las cabañas.

Las actividades vespertinas resultan sosas y desinfladas para la mayoría de los muchachos; sobre todo porque precisan hacerlas sin supervisión.

Los ocho mentores, Gaviota y Leoncio nos reunimos en el salón central para hablar con Mendel; no podemos arriesgarnos a que algo similar vuelva a suceder.

—Explícanos qué pasó —exige Leoncio.

—Nada. Un accidente. Me tropecé y caí al pantano.

—Eso es mentira —rebate Gaviota—, no estabas cerca de la orilla, tuviste que saltar para llegar tan lejos.

—No salté, créanme, fue un tropiezo, pero me asusté tanto que comencé a tratar de nadar y eso me alejó del borde.

Los profesores observan cuidadosamente cada gesto y escuchan atentos el tono de las palabras. Los diez adultos estamos sentados en semicírculo alrededor del joven suicida.

—Di la verdad —lo incita una profesora.

—¡Ya la dije!, fue un accidente.

—No, Mendel —dice Gaviota—, mira dónde te encuentras. En torno a ti hay maestros expertos. Sabemos cuando alguien está mintiendo.

La evidencia de su embuste lo hace bajar la cara. Leoncio da carpetazo al asunto.

—Mañana a primera hora te regresas a la ciudad. Pediré que vengan por ti. No voy a arriesgarme a que haya otro incidente de esa naturaleza en mi campamento.

Algunos de los profesores parecen satisfechos con el corolario. Arrancar la hierba mala evita urticarias y contaminación al terreno.

Protesto.

—Yo opino que este joven merece otra oportunidad, si lo expulsan sufrirá un daño mayor.

—El muchacho ya está dañado —dice una maestra con vocación de polígrafo—, lo puedo ver en su forma de mover la cabeza; él merece un tratamiento psicológico y psiquiátrico; ¡atención especial!

—Claro —opina otro profesor—, aquí no estamos preparados para tratar con casos como el de Mendel; tenemos recursos limitados y nos encontramos muy lejos de la civilización. En un momento de urgencia no seremos capaces de salvarlo.

Leoncio se levanta de su silla y dictamina como el juez que cierra un caso.

—¡Mendel regresará a su casa mañana! La universidad sufrió hace poco la muerte de un estudiante y eso ha causado serias repercusiones; no podemos correr el riesgo de que en este campamento otro joven a quien pudimos enviar a una terapia adecuada, se quite la vida.

Gaviota me mira. Es la única que parece disconforme con la conclusión, pero no lo suficiente para contravenir a su marido.

Los profesores comienzan a ponerse de pie; por lo visto la sesión ha terminado para ellos. Me sorprendo apretando tanto la mandíbula que los dientes me duelen; ¡están cometiendo un atropello!

Me levanto catapultado por la indignación.

—¡Si echan a Mendel, habremos fracasado en nuestro propósito! —mi voz suena destemplada y vehemente, trato de calmarme—, tomen asiento por favor; Leoncio es el líder en este lugar, pero yo vine como delegado de la rectoría, así que esto no se acaba hasta que me escuchen —los maestros se quedan paralizados en sus movimientos de retirada; Leoncio se yergue como afrentado—, tomen asiento —insisto—, por favor —algunos me obedecen, otros se quedan de pie—; ¡es fácil venir aquí a correr por los caminos o a aventarse de los cablecitos mientras no haya problemas, ¿verdad?, ¡eso cualquiera puede hacerlo!, pero no digan que este curso mejora la personalidad de alguien. Mejor nómbrenlo *Centro vacacional light.*

—Profesor —me enfrenta Leoncio—, estás causando otra división innecesaria.

—No, señor —contesto—, estoy defendiendo a mi alumno quien tiene derecho a ser defendido; tú acabas de referirte a mi sobrino Oscar, quien fue asesinado a las puertas de la universidad —giro la cabeza para dirigirme a los demás—, por si no lo saben, Oscar era mi sobrino, pero ¡entérense!, los cinco integrantes de mi cabaña llegamos aquí forzados por el director. Ninguno queríamos venir; estamos muy lastimados, porque somos las personas más cercanas a Oscar. Kidori fue su novia, Tábata su amante, Mendel su mejor amigo y Narciso perteneció al grupo revolucionario que le quitó la vida. En mi cabaña se escuchan peleas, discusiones y llantos todas las noches. Ustedes no tienen una idea de lo que es tratar de dormir ahí; nosotros estamos viviendo un campamento muy distinto; luchamos todos los días por encontrarle lo bueno a la vida y seguir adelante. Somos un conjunto desastroso que nunca debió juntarse, ni venir —levanto la mano derecha para enfatizar y me limpio con la izquierda una lágrima que se me ha escapado—, les aseguro que los cinco de mi grupo hemos pensado alguna vez en hacer lo mismo que hizo Mendel hoy. Yo me la paso escribiendo, leyendo y pidiéndole a Dios que me de fortaleza y sabiduría para no quebrarme y ayudar aunque sea un poquito a esos muchachos. —La frustración me rompe la voz—, ¡si se deshacen de Mendel porque lo consideran un riesgo, deberán deshacerse de toda mi cabaña!; todos estamos igual de estropeados moralmente que él; necesitamos psicólogos y psiquiatras, sí; no sé por qué nos mandaron aquí; tienen razón; y si de verdad es el deseo de todos ustedes mañana nos iremos, pero voy a armar tal escándalo en la rectoría que este campamentito de juguete para aprender a maquillarse y a ponerse rubor, se va acabar para siempre.

Dejo de hablar; siento una combinación de rabia y congoja que me anuda la garganta; Mendel me mira con agradecimiento; el estatismo se alarga, todos dirigen la mirada a Leoncio; a él le corresponde conceder o rebatir; opta por lo primero.

—Tomen asiento los que quedan de pie —suspira y se talla los párpados como si acabase de sufrir la intrusión de una arenilla en los ojos—, el profesor Pablo tiene razón, le pido una disculpa a él y a Mendel… también a ustedes, maestros, porque no les dije lo que estaba sucediendo en la cabaña número tres; el problema es grave y ellos necesitan el apoyo de todo el equipo profesoral —se dirige a mí de nuevo—, dime por favor, ¿qué podemos hacer para ayudar?

Paso saliva sin poder articular palabras y extiendo la mano hacia mi alumno. Al fin puedo decir:

—Quien se quiso suicidar está aquí frente a ustedes, ¿por qué no lo escuchan?, ¿por qué no se enteran de su historia? Mendel —le digo—, ayer me platicaste que tu padre te golpeaba casi todos los días, que cuando estaba drogado iba a tu cuarto y aunque te encontrara dormido te daba de cintarazos, así fue como adquiriste la costumbre de dormir escondido en el closet o debajo de la cama, que toda la vida te dijeron feo o monstruo, que tuviste un hermanito rubio y de ojos azules, producto de un adulterio secreto de tu madre, a quien tú trataste de asfixiar varias veces con la almohada y de quien se enteraron después que tenía retraso mental; cuéntales cómo la idea absurda de que tú fuiste el que le causó el daño en el cerebro te ha atormentado durante muchos años; vamos, hijo, cuéntales un poco de ti, para que te conozcan y puedan comprenderte.

Mendel ha agachado la cabeza y se frota los cortes de navaja y las ampollas; levanta la vista y dice:

—Sé que mi hermano nació con retraso mental; yo no se lo provoqué; Oscar me convenció; por eso era mi mejor amigo; trabajó duro para quitarme esa obsesión de culpa; imprimió investigaciones y hasta me llevó con un médico para que me explicara; no es el recuerdo de mi hermano lo que me asfixia por las noches… es mi madre.

La declaración es seria y suena como un eco macabro en el salón.

—¿Qué le pasó a tu madre? —pregunto con encogimiento; entonces susurra.

—La maté.

20 (*)

Mendel se dispone por sí solo a explicarnos las resonancias de su mente.

Al escucharlo hablar me asombra sobremanera esa especie de manifestación bipolar que lo lleva a arranques suicidas desesperados para minutos después hacerlo charlar de su pasado con puntillismo y ecuanimidad.

—El día que cumplí dieciséis años iba a soplar las velas del pastel —recuerda—, mi hermanito se interpuso y, babeando como siempre, aplastó la cubierta del merengue con una mano; yo me molesté, le di un fuerte tirón de pelos para obligarlo a sentarse, y como se puso a llorar de inmediato, lo zarandeé frente a mis padres; papá se levantó despacio, sin hablar y fue hasta su baño, donde guardaba la cocaína; ahí se drogó y salió trayendo el cinturón; quise correr pero me alcanzó de un salto; con una mano me detuvo mientras me azotaba con la otra; sus cuerazos me dieron en todo el cuerpo, hasta en la cara, me dejaron sangrante; mamá no me defendió, sólo abrazó a mi hermanito; las velitas del pastel de mis dieciséis años se quedaron prendidas hasta que se consumieron; yo logré abrir la puerta del departamento y mi papá me dio una patada para sacarme. Estuve tirado en el andador sin parar de llorar; entonces sentí como si alguien me observara. Oscar, mi vecino, había salido de su departamento asustado por el escándalo; él se acercó y se sentó a mi lado; cuando me tranquilicé un poco dijo que podía dormir en su casa, si quería, que había un sofá-cama en su recámara para los amigos; yo rechacé la invitación, pero entonces me di cuenta que Oscar tenía una mano mutilada; le faltaban tres dedos. Me enseño su muñón y dijo que de niño tuvo un accidente automovilístico con su tío, que todos en la escuela se burlaban de él porque sólo tenía el índice y pulgar izquierdo, y le ponían muchos apodos; eso me hizo darme cuenta que de alguna forma nos parecíamos; a él lo repudiaban por su mano mutilada y a mí por mi cojera. Esa noche, bajo el consentimiento de sus padres que también escucharon la golpiza, dormí en el sofá-cama de Oscar. Al día siguiente, había que ir a la escuela. El bachillerato de la colonia era muy grande; los dos estudiábamos ahí, pero en diferentes grupos. Nos juntamos en el descanso a platicar y él me convidó de su comida. Nos hicimos muy amigos. Regresé a dormir en mi casa y las cosas siguieron igual, pero cuando mi papá se drogaba, de plano me escapaba y corría con mi vecino; muchas veces Oscar ya me estaba esperando con las sábanas para visitas dobladas sobre el sofá-cama; yo llegaba, las acomodaba y platicaba de otras cosas. Sus papás también me trataban con respeto y cariño. Recuerdo que una vez, cenando con ellos derramé el vaso de refresco; me acobardé, me puse rojo, pedí perdón mil veces y sentí mucha vergüenza; los papás de Oscar me dijeron que los adultos me habían robado la paz. No les entendí, hasta que en otra ocasión fue Oscar el que derramó el vaso sin querer. Él, en cambio se levantó con tranquilidad a limpiar el líquido y continuó charlando sin darle importancia al asunto; tenía confianza en sí mismo porque desde niño los adultos le habían infundido paz. Con el paso del tiempo, Oscar y yo nos hicimos como hermanos; a él le gustaban mucho los animales, pero no podía tener mascota porque su mamá era alérgica, así que trabajaba en una veterinaria. Me recomendó como ayudante en la escuela de obediencia canina y me hice muy bueno para entrenar perros. Comencé a ganar bastante dinero y me compré un autito. Cuando cumplí dieciocho años, en el último año de bachillerato, unos compañeros me invitaron a un *table dance*;

me dijeron que ahí las mujeres me querrían como soy, que lo importante era tener dinero ¡y yo tenía!; acababa de cobrar mi quincena como entrenador canino. Invité a Oscar al *table* y no quiso acompañarme porque tenía que estudiar. Estaba muy metido en un concurso de matemáticas y al día siguiente era la final contra una japonecita muy difícil de vencer. Fui con los otros cuates al burdel. Ahí ocurrió algo terrible. Encontré a mi papá. Una prostituta le estaba haciendo *striptease* privado. No dije nada y, como despecho, pagué un bailecito de esos para mí también. Dejé que la desnudista me llevara a la sala de cristal que estaba junto a la de mi padre; quería que me viera ahí, tan degradado y podrido como él. Casi de inmediato se dio cuenta de mi presencia. Como era un hombre de doble moral impresionante, hizo a un lado a su prostituta, se abrochó el pantalón y salió para reclamarme. ¿Qué haces aquí?, me preguntó; y yo le dije, lo mismo que tú, somos iguales, te imito en todo. Los dos gorilas que cuidaban el lugar se acercaron de inmediato para ver qué estaba pasando. Papá dejó de discutir, se salió del cubículo y me dijo que estaría en la calle, esperándome. Yo me tardé mucho en ir a su encuentro, antes tomé casi media botella de alcohol para darme valor. Me emborraché. Mi papá ya se había metido no se cuantos pericazos de droga y estaba parado junto a mi coche en el estacionamiento; tenía los ojos saltones. Ahí discutimos muy feo, nos dijimos cosas horribles, y por primera vez me golpeó con el puño en la cara. Quise defenderme, pero no logré darle ni un golpe. Mientras él me propinaba una tunda, yo pensaba en cómo vengarme. En mi trabajo de adiestramiento canino había perros de ataque entrenados para morder sin piedad; pensaba en cómo llevar uno de esos perros hasta mi papá. Al fin dejó de pegarme y me dijo que yo no podía ser su hijo, entonces, le contesté: El que no es tu hijo de verdad es mi hermano, mamá te puso el cuerno con el doctor alemán del hospital militar; yo fui testigo de todas las citas que mi mamá tuvo con ese doctor dizque por causa de una migraña que era puro invento; ahora ella trabaja como su secretaria, y tú, un gran militar de inteligencia, no te has dado cuenta. Aunque estaba drogado, lo comprendió todo muy bien y se fue aprisa. La verdad, yo siempre pensé que mi papá ya sabía todo eso y lo toleraba, porque él también era adúltero y andaba con muchas mujeres. Tontamente creí que la infidelidad era como un acuerdo entre mis papás, pero me equivoqué. En su cerebro machista, él creía que podía ser infiel, pero su esposa no. Así que cuando se enteró, fue directo a mi casa. Tal vez se drogó todavía más, porque ni siquiera lo dudó ni un segundo. Oscar me platicó que subió las escaleras del edificio haciendo un gran escándalo y gritando; luego abrió la puerta de nuestro departamento con una patada, fue hasta la recámara matrimonial y le dio un balazo a mi madre. Salió y se dio a la fuga. Llegó la policía del ejército a investigar y descubrieron que mi padre tenía nexos con el narcotráfico. Desde entonces, nadie sabe de él.

21

El tiempo parece detenerse en una suerte de trance grupal; sólo se escuchan las risas lejanas de jóvenes afuera que quizá terminaron sus tareas y declararon por unanimidad que ha llegado la hora del receso.

Aunque de seguro Mendel tiene mucho más que decir, ha optado por guardar silencio. No considera prudente ahondar en detalles. Tampoco nosotros.

Gaviota se anima a hablar tratando de darle sentido a lo que hemos venido a hacer a este sitio:

—A ver, Mendel; nosotros creemos que la personalidad de cada ser humano es un espejo de su alma y se arregla necesariamente de adentro hacia fuera. Cuando llegaste aquí, estabas hecho un desastre; encorvado, sucio, desaliñado, retraído, temeroso, decaído. Recibiste muchas burlas; incluso cojeabas de manera exagerada; conforme han pasado los días te he visto, a veces, erguido, sonriente y extrovertido. Has tenido momentos de mejora impresionantes, pero no eres consistente en tu progreso porque tiendes a revivir el pasado una y otra vez, ¡y te martirizas! Si quieres salir del hoyo, mira hacia delante y convéncete de una vez por todas que tú no eres culpable de todas las tragedias que han ocurrido cerca de ti. Recuerda *siempre* los principios que hemos estudiado; en primer lugar, vence la vergüenza; lo contrario de belleza es vergüenza, eres un ser único y debes sentirte orgulloso de tus diferencias; enorgullécete de ser *tú mismo*, de ser *original*.

La aportación de Gaviota motiva al resto de los profesores a dar su punto de vista; han comprendido que mientras estén en ese campamento, los problemas de Mendel, son de ellos también. Mini discursos recordándole todo lo que hemos estudiado se suceden en uno y otro lado del semicírculo.

—Si tu pasado te avergüenza, haz como si no existiera; también olvida los errores que cometiste; pide perdón por ellos y repara el daño siempre que se pueda; después, olvida ¡pero si no puedes olvidar, haz como si olvidaras!

—¡No pienses mentiras respecto a ti!, identifica las calumnias que te han dicho y recházalas. No sobrevalores la opinión ajena; es imposible complacer a todos.

—Evita ser humillado. Aprende a poner límites; sé astuto como serpiente y sencillo como paloma. Date a respetar aun entre lobos.

—Cuida tu cuerpo, Mendel; mantenlo en forma, limpio, sano y exento de adicciones. Respétalo tanto como a tu alma.

—Sé equilibrado en cuanto a tu actitud hacia los demás; ni arrogante ni timorato, sino amable y cortés.

Leoncio levanta la mano para detener las aportaciones. Se acerca a Mendel y se pone en cuclillas frente a él.

—Lo que todos estamos tratando de enseñar desde que inició el campamento es que la batalla de la vida o de la muerte se libra en el cerebro; tu cerebro es muy poderoso; si lo dejas obsesionarse con pensamientos destructivos, te destruirá; ¡intentaste suicidarte porque tuviste una idea fatalista tan obstinada que te dominó!; luego, cuando estabas a punto de morir pensaste que era mejor seguir viviendo; lo vi porque trataste de aferrarte a mi mano; ¡tu mente tiene el gobierno de quién eres, qué haces y cómo te ves!, controla tu mente, para que recuperes tu vida, y en ningún momento permitas que te sobrevengan pensamientos como los que tuviste hoy; ¿de acuerdo?

Mendel mantiene el gesto apretado y la mirada inconsistente. Por momentos parece aceptar y comprender, pero por otros se muestra escrupuloso.

—Yo soy feo —contesta con total autosugestión—, me lo han dicho toda la vida.

—¿De verdad? —responde Leoncio levantándose y hablando con la energía que lo caracteriza—, pues métete esto en tu cabeza: no existe nadie, ninguna persona en el mundo que sea fea; ¡ninguna! —y repite silabeando—, nin, gu, na. De hecho, no existe *nada* en la Creación que sea feo. Sólo existen animales, cosas o personas *que no cumplen el propósito para el que fueron creadas*. Si perdemos de vista para qué fuimos hechos, para qué servimos, nuestra personalidad mengua y parecemos feos. Imagina este ejemplo: ¿qué pensarías si tuviéramos aquí un bote de basura con flores y un florero de porcelana con basura?; el cuadro sería sombrío porque ni el bote ni el jarrón están cumpliendo su función. Nada es feo hasta que deja de hacer aquello para lo que fue creado. ¿Has visto un animal que vive dentro de una jaula?, ¡siendo hermoso ya no luce bello! ¿Recuerdas a las mujeres que viste vendiendo sus cuerpos?, ¡qué cuadro más grotesco! El animal salvaje no fue hecho para el cautiverio y la mujer no fue hecha para prostituirse; perdieron su propósito. Si vas por este mundo sin tener propósito, parecerás sombrío y lo peor, no podrás ver la belleza en lo que te rodea.

Gaviota aprovecha que Leoncio hace una larga pausa para agregar:

—Mañana hablaremos de esto en el curso. El resto de las sesiones siéntate en primera fila, asimila todo y llévalo a la práctica ¿de acuerdo?

Mendel contesta que sí.

Los profesores nos ponemos de pie y caminamos hacia la salida del salón; algunos se quedan abrazando al muchacho y dándole consejos extra; yo me acerco al líder y le brindo un fuerte apretón de manos.

—Gracias —le digo.

—Gracias a ti —responde.

Ambos omitimos los mutuos halagos que quisiéramos decir. Entre hombres de valores no hacen falta muchas palabras.

Camino con ligereza hacia la explanada respirando el aire puro del lugar.

Encuentro a Kidori sentada en el césped, le pregunto cómo estuvieron los ejercicios que hicieron sin supervisión y ella se encoge de hombros

—Bien, estuvieron bien.

—¿Qué te pasa?, ¿por qué pareces molesta?

—Porque usted tiene un paquete muy difícil aquí.

—¿Ahora qué sucedió?

—Narciso y Tábata no estuvieron durante los ejercicios; se fueron a la cabaña. Como no creo que tengan protección, quizá ella se lleve un recuerdo de nueve meses de este campamento.

—Maldición.

Corro unos metros y después disminuyo el paso; no puedo estar persiguiendo a los muchachos; ellos ya han sido advertidos de las reglas. Si las infringen sufrirán las consecuencias.

22

Entro a la cabaña y encuentro a Narciso y a Tábata bajando las escaleras de la terraza.

—¿Qué hacen aquí?

—Sólo charlábamos mirando el cielo y las estrellas, profesor; ella y yo somos buenos amigos, nos gusta platicar, espero que eso no le moleste.

Noto en sus palabras una falsa contrición; vestidos y sonrientes parecen ebrios de triunfo, como si al fin hubiesen consumado sus propósitos clandestinos, quedando impunes de toda culpa. Si tuvieron algún acercamiento más íntimo, lo hicieron calculando muy bien sus tiempos, de manera que no fueron sorprendidos. Decido olvidar el asunto; sin embargo, durante las dinámicas del día siguiente observo que Narciso y Tábata parecen entorpecidos, descoordinados, como si fuesen víctimas de una resaca por causa de festejos secretos. Quizá tomaron alcohol o algún tipo de droga, o tal vez sólo se emborracharon con el éxtasis de sus cuerpos hasta la saciedad.

En un momento fugaz me topo con Tábata y la detengo del brazo.

—Estoy decepcionado —le digo—, tú prometiste no involucrarte sexualmente con Narciso en este tiempo. Se supone que deberías usar el campamento para reflexionar.

—Profesor —tantea entre sonrojada y escrupulosa—, despreocúpese; no soy tonta ni fácil; Narciso y yo sólo pasamos un buen rato juntos, pero tengo el control de todo.

Su respuesta me tranquiliza, sin embargo, ni Narciso ni ella son capaces de lograr los retos de valor propuestos por los líderes. Esta vez el objetivo es vencer nuestros temores.

En la explanada (sin necesidad de caminar a otros parajes)

llevamos a cabo diferentes dinámicas retadoras. Dejarnos caer de espaldas al vacío con los ojos cerrados en espera de ser atrapados en el aire por nuestros compañeros; gatear por túneles oscuros; caminar por alambres altos; arrojarnos desde árboles enormes hacia una colchoneta de aire... Cada desafío superado nos va llenando de valor. Cuando hemos terminado, todos nos sentimos más fuertes. Gaviota es quien da las conclusiones:

—¡Vivir es un desafío!, ¿quién de nosotros está exento de problemas?, para no dejarse abatir requerimos valor y valores. Hoy hemos realizado ejercicios en los que comprobamos que sí podemos enfrentar retos. Valor y valores son necesarios para tener una personalidad de impacto. En las películas de héroes valientes y con valores todos terminamos admirando a los personajes y los vemos como grandes galanes, porque el valor y los valores embellecen. Un ejemplo contrario podría ser la persona que pide limosna: los mendigos proyectan una imagen rechazable porque mendigar es vergonzoso... hay quienes mendigan dinero y hay quienes mendigan cariño, pues no tienen el valor de ganárselo con hechos dignos y hasta heroicos; ¡pero cuidado!, si ustedes que tienen capacidad para ser productivos y generar cosas buenas, prefieren mendigar favores, se volverán esperpentos, mamarrachos. ¡Para vivir necesitan valor y valores! Vuélvanse personas trabajadoras, progresistas, capaces de crecer todos los días, ¡Esfuércense por caminar con la cara en alto, teniendo propósito y visión del futuro! Ahora, debo aclarar: El término *valores* se ha gastado tanto que ha perdido su fuerza. ¿Saben qué son los *valores*? La suma de nuestras virtudes y emociones. Repito: virtudes más emociones. Desglosando esa sumatoria: Se le llama *virtud* a todo aquello para lo que fuimos hechos. Pensemos en *cosas*: la virtud de un medicamento es sanar; la de un micrófono, amplificar la voz; la de un suéter, proteger del frío;

si algo alcanza la virtud, alcanza la excelencia para la que fue creado; así, el buen cuchillo corta bien, la buena bebida sacia la sed, el buen veneno, mata. Ahora vayamos a las personas. Las virtudes de los seres humanos nos ayudan a hacer bien aquello para lo que fuimos creados. Las virtudes teologales son *fe, esperanza y amor*; las virtudes cardinales: *templanza, prudencia, justicia y fortaleza*; de éstas se desprenden las virtudes generales como *sinceridad, orden, perseverancia, paciencia, responsabilidad, generosidad, sencillez, respeto, patriotismo, comprensión, optimismo,* etcétera. Ahora bien (¡no se distraigan!), sumando las virtudes, que todos tenemos, con las emociones, afectos ideales y pasiones que nos mueven, podemos hallar nuestros valores. Un buen cuchillo lo es en manos de un asesino o de un cocinero: La persona con sus emociones, es quien convierte ese cuchillo *virtuoso* en un valor constructivo o destructivo. Nuestras emociones y pasiones dan aplicación a nuestras virtudes. En este sentido, tanto Hitler, como Stalin, como Gandhi, como, Teresa de Calcuta fueron personas virtuosas, pero tenían emociones y pasiones diferentes; por eso sus valores fueron diferentes. Hoy en día, la mayoría de las personas no saben qué quieren ni adónde van; son cobardes, pusilánimes, sin propósitos, sin metas y sin sueños. Ustedes, por el contrario, esfuércense en ser diferentes. Enfóquense en tener valor y valores. ¡Nada los hará más atractivos que eso!
—Gaviota hace una pausa para respirar; está jadeante por su vehemente exposición—. Tendremos dos horas de receso —concluye—; en ellas, tomarán un cuaderno, escribirán cuáles son *sus virtudes principales* (por ejemplo: sinceridad, paciencia, responsabilidad, perseverancia, comprensión), *sus emociones*; (¿qué aman?, ¿qué desean?, ¿que les causa pasión?) y después juntarán ambos elementos para hallar *sus valores* (por ejemplo: soy tenaz para lograr metas en el deporte que me

gusta, o soy sensible para comprender a las personas que quiero) ¡Escríbanlos!, cuando lo hagan, habrán definido quienes son *en esencia* y a dónde van en esta vida.

Nos levantamos.

Caminamos hacia las cabañas.

Con un ritmo de actividades tan intenso, dos horas de descanso son muy apreciadas.

Entro a mi habitación y me tiro en la colchoneta.

A los pocos minutos escucho voces de alarma. Es Mendel exclamando desde el cuarto adyacente.

—¿Qué estás haciendo, Narciso?, ¡eso es droga!, ¡te estás drogando!, conozco muy bien esa expresión.

Salgo.

—¿Qué pasa?

—¡Narciso estaba esnifando cocaína! —dice Mendel—, la tiene en ese bote.

—No digas mentiras, pinche jorobado —el gandul se acerca a su compañero con el brazo arriba y Mendel cierra los ojos como esperando un castigo—, quieres meterme en problemas, ¿verdad?

—¡Tenías polvo blanco en la nariz! —dice sin abrir los ojos—, era droga.

—¿Y tú cómo sabes?, ¿la has usado?, ¿eres experto?

—Sí, ¡soy experto!

Narciso se adelanta para darle un golpe en la cabeza con los nudillos a Mendel; intervengo poniéndome en medio y el catorrazo me cae en la clavícula; empujo a Narciso, pero es tan grande y fuerte que apenas lo muevo; tiene los ojos rojos y parece dispuesto a matarme. Las mujeres han llegado. Le grito a Kidori:

—Rápido, ¡ve por Leoncio!, ¡vamos a hacer una revisión de este cuarto. Si encontramos droga, alguien se irá de aquí directo a la penitenciaría.

23

Minutos después y casi con la celeridad que podría provocar un incendio, llegan Leoncio y tres profesores varones más. Entre todos auscultamos con atención extrema las cosas de Narciso; revisamos ropa, bolsas pequeñas de la maleta, pliegues del *sleeping bag*, enseres para baño. No hallamos cocaína. El bote al que Mendel señaló como contenedor apócrifo es un frasco de crema facial. Sólo hallamos una botella sin etiqueta de medicamento en gotas. Narciso nos explica que es un relajante muy leve que usa a veces para conciliar el sueño cuando tiene insomnio.

Leoncio asiente entre molesto y aliviado, le pide una disculpa al muchacho por haber irrumpido en sus pertenencias y le recuerda que debe conducirse con probidad.

No me quedo satisfecho. El comportamiento de Narciso las últimas horas coincide con el de una persona artificialmente estimulada, y no dudo del criterio de Mendel para detectar cuando alguien cerca de él está consumiendo cocaína.

Esa noche, antes de dormir, le digo a Mendel:

—Tengo un mal presentimiento. Cámbiate a dormir a mi recámara.

—No —contesta—, sería como reconocer que tengo miedo; hablaré con Narciso y le pediré una disculpa. Seré astuto como serpiente y manso como paloma.

—No lo sé… me preocupas.

—Estaré bien. Hoy aprendí que debo ser valiente y tener valores. Por primera vez siento que el curso me está sirviendo.

Accedo. No me queda otra opción. Dejo toda la noche mi puerta abierta procurando estar atento a cualquier anormalidad, sin embargo, en la madrugada caigo en un profundísimo sueño que sólo se interrumpe a ratos por un incesante y molesto concierto de ladridos. Los perros que cuidan el campamento por las noches parecen enloquecidos. Finalmente suena el habitual cornetazo de las seis.

Voy a la habitación de los muchachos procurando espabilarme.

Otra vez, Mendel no está. Despierto a Narciso y le pregunto por su compañero. Se levanta de inmediato; lo busca debajo de la cama y se asoma por la ventana.

—Qué raro —dice manifestando una angustia que me parece maliciosa—, a lo mejor le dio otro ataque de sonambulismo al güey y se fue caminando por la selva. Pobrecito, ojalá que esté bien; mire, aquí dejó sus zapatitos.

Salgo y lo busco en la hendidura subterránea de la cabaña. No está; tampoco en el salón central, ni en la oficina ni en los senderos cercanos.

Corro con Leoncio y lo pongo al tanto.

—En la madrugada oí ladrar a los perros —comenta preocupado—, pensé que perseguían a los monos que bajan de los árboles a tratar de robarse la basura, pero ahora que lo pienso, tal vez le ladraban a Mendel —y agrega con un tono disfrazado de optimismo—. Si Mendel salió descalzo, no pudo haber ido muy lejos. Vamos a buscarlo.

El ejercicio físico matutino se organiza de forma diferente: alumnos y maestros nos separamos en grupos; vamos por los múltiples caminos aledaños a correr, buscando a Mendel. Algunos llegamos hasta el río. No tenemos éxito. El líder nos da instrucciones para revisar cada rincón de las cabañas y sus contornos, incluyendo contenedores de basura. Como no lo encontramos, después de medio día, Leoncio, Gaviota y yo nos reunimos para analizar el problema.

—Cuando Mendel ha tenido trastornos de sonambulismo —explico—, sólo camina unos metros y se esconde en un lugar cerrado, pero ahora no está por ningún lado.

—¿Eso quiere decir que huyó del campamento?

—Puede ser...

—Él le dijo que quería irse de aquí ¿no es cierto?

—Sí, el primer día, cuando llegamos...

—¿Entonces, crees que se fue?

—Bueno, de seguro su compañero de cuarto lo amenazó o intimidó, y eso le dio motivos para intentar irse, pero lo raro es que ayer por la noche lo vi confiado y feliz como nunca antes.

Llamamos a Narciso y lo interrogamos; el joven no titubea ni un momento al defender su inocencia.

—¡A mí déjenme en paz!; ¡el Feo me acusó de que yo tenía polvo, pero ustedes me manosearon ¿sí o no? y metieron sus narices hasta mi culo. No encontraron nada; anoche ni siquiera discutí con el güey; nos dormimos de inmediato.

Por lo visto el malhablado empedernido es experto en fabricarse coartadas que lo absuelven de todos los delitos; mientras más lo conozco más sospecho de él.

Cuando se retira, Gaviota asegura:

—Narciso está mintiendo. Mendel huyó del campamento por culpa de él.

—Sí —dice Leoncio—; pero lo grave es que dada su inestabilidad emocional, puede suceder un accidente...

—¿A qué te refieres?

—Espero que haya caminado por la calle de tierra, porque si se le ocurrió meterse a la selva, será muy difícil encontrarlo.

—¿Qué peligros hay, además de los pantanos?

—Animales, profesor, muchos animales. En la maleza

abunda la serpiente nauyaca o siete narices; su mordedura es tan tóxica que le víctima muere en muy poco tiempo.

—¡Carajo! —exclamo y me quedo pensando en voz alta—, después de la muerte de Oscar, Mendel es como un hijo para mis cuñados. No soportarían otra tragedia. Yo tampoco... sobre todo porque nuevamente soy el encargado.

—Tranquilízate, no anticipemos vísperas. Avisaré a la policía para que vaya un equipo a buscarlo. Verás como en cualquier momento lo encontrarán; por lo pronto haré unas llamadas.

Leoncio se aleja para coordinar la búsqueda. Gaviota convoca a una sesión plenaria tardía. No me queda otro remedio que apaciguarme, así que la acompaño.

—Esperemos que Mendel esté bien —dice la maestra—. Anteayer nos dio un tremendo susto y hoy, otra vez, nos tiene los nervios de punta... Por eso, les voy a sugerir a todos los que tengan fe en un Ser Supremo, que le pidan una protección especial para Mendel, dondequiera que esté; y para este campamento. No dejen de hacerlo, por favor. Hoy no pudimos llevar a cabo las dinámicas al aire libre que teníamos planeadas, pero, aunque sea tarde, necesitamos estudiar el tema. Estamos estudiando el poder de los actos y como afectan nuestra imagen. Todos contamos con cinco sentidos. Para relacionarlos con la gente usamos sobre todo tres: vista, oído y olfato; pocas veces empleamos el tacto y casi nunca la lengua, así que la información que recibimos de las personas depende de cómo se ven, cómo huelen y como se oyen. Ya hablamos de los primeros dos atributos, hoy discutiremos sobre el tercero. Lo que la gente *escucha* de nosotros. ¿Qué sonidos hacemos los seres humanos?

Sobrevienen bromas pesadas. Kidori levanta la mano y opina:

—Risas, estornudos, ruidos con la boca y palabras.

—Exacto, sobre todo *palabras*; el impacto más importante lo causamos con lo que decimos y cómo lo decimos. Quien sabe hablar bien, sabe vender, ganar dinero, hacer negocios, encontrar y fortalecer el amor... Después de escuchar a alguien hablar, tenemos un retrato más preciso de su personalidad. Decimos: es bobo, intelectual, inculto, grosero, analfabeta, soberbio, educado, etcétera... las palabras, más que ningún atributo físico, proporcionan un extraordinario cúmulo de información para determinar a quien tenemos enfrente; menoscaban o enaltecen la imagen; tienen poder para dañar, construir, lastimar y sanar. Cuiden mucho ese aspecto de su estilo, no escupan necedades, sean elegantes hasta para pelear o discutir. Somos cien por ciento responsables de lo que decimos. El maltrato familiar de moda es el que se produce con la lengua. Algunos hombres se jactan de no haber golpeado nunca a su mujer, como si eso fuera mucho mérito, sin embargo, con sus palabras la han vejado, ultrajado y esclavizado. ¡Cuidado, muchachos!, ¡la boca puede hacer más daño que el puño! De nada les servirá tomar cursos de maquillaje o imagen, si usan mal sus palabras y su voz. Prefieran cursos de dicción, articulación y cortesía. En el mismo tenor, eviten, sobre todo, decir majaderías; palabras sucias reflejan mentalidad sucia; las groserías son estigma de poca educación y escasa sustancia; esto no tiene que ver con el estrato socioeconómico, sino cultural. La gente educada, por definición, no dice groserías; ¡sé una persona educada!, quizá te costará trabajo, porque tienes hábitos aprendidos de muchos años hablando suciedades, pero cambia esos hábitos; lo mereces. ¿No puedes?, ¡haz como si fueras una persona educada!, ¡haz como si fueras elegante y de imagen poderosa!, cuando te mires al espejo, también usa los oídos; ¡escúchate!, no imites a los que hablan mal, sorben los líquidos, hablan con la boca llena de comida o sueltan horribles risotadas. Hace rato hicieron una broma sucia. A los tontos les dan risa los eructos y gases intestinales; no sean tontos. No hagan esos ruidos *a propósito* ni cuando estén solos. Recuerden que todos los hábitos secretos siempre salen a la luz.

La sesión plenaria termina.

Volteo a ver a Narciso. El tema le viene como anillo al dedo. Está haciendo gesticulaciones ridículas como remedando a Gaviota. Nuestras miradas se cruzan; cierra la boca y pone los brazos a un lado. Es un insolente. Debo hablar con él y presionarlo para que me diga qué le pasó a Mendel; me acerco.

—Después de cenar te espero en la terraza. Vamos a tener una reunión, Kidori, Tábata, tú y yo. No faltes.

Pone la mano derecha en su frente como hacen los soldados que saludan al general y grita:

—Señor, sí señor...

24

Al salir del salón encuentro a Kidori y a Tábata; les digo:

—Hoy sí vamos a reunirnos en la terraza; después de cenar las espero para que charlemos con Narciso.

Leoncio me alcanza.

—La policía envió patrullas de búsqueda sobre la carretera —informa—, ya hicieron dos veces el recorrido de la ciudad hasta el campamento y de regreso. No hay rastros de Mendel, al menos en el camino sin asfaltar.

—¿Eso qué significa?

—Se metió a la selva. Mañana lo buscaremos de otras formas. Toma, Pablo —me entrega mi teléfono celular que dejé depositado al ingresar en el campamento. Debemos estar comunicados; siéntete libre de hacer cualquier llamada que pueda ayudar a localizar al muchacho.

A la hora de la cita con mis alumnos, subo a la terraza. Sólo se encuentra Kidori.

—¿Dónde están tus compañeros? —le pregunto—, ¿no los viste?

—Sí. Fueron a caminar por los senderos. Llevaban una lámpara.

—Vaya. ¿No van a venir?

—No lo creo.

Una loza de abatimiento que sobrepasa mi capacidad de control me hace agachar la cabeza. Llevo ambas manos a la cara.

—¿Qué le pasa, profesor?

—Me siento vencido. Tengo mucho miedo de lo que pueda suceder. No he sido un buen mentor aquí.

Kidori se acerca a mí y pone cariñosamente una mano sobre mi brazo. Aprecio su gesto al que no sé cómo corresponder. Temo que mi, ya de por sí precaria personalidad de profesor cuarentón ajado por las recientes aflicciones, se corrompa por completo con el salitre de mis lágrimas. Así que las reprimo y digo:

—Nunca debí aceptar venir a este sitio ni que ustedes lo hicieran.

—A mí me ha servido mucho.

—Eres la única —me animo a observarla—, porque tienes un corazón muy noble, pero aún tú, recuerda cómo te pusiste la primera noche que dormiste con Tábata y la viste dispuesta a entregarse casi desnuda a los brazos de Morfeo.

—Usted también tiene buen corazón. Vamos, cambie esa cara. No acepte mentiras respecto a su persona, identifique las calumnias que lo atormentan y rechácelas. Si su pasado lo avergüenza, haga como si no existiera... Y si no puede olvidar, recuerde que a la larga todo nos ayuda y fortalece.

Volteo a verla. Su ingenio al invertir descaradamente los papeles me arranca una franca sonrisa.

—Siéntate, Kidori. Charlemos tú y yo. Cuéntame sobre Oscar. Fuiste su novia cuatro años

—Casi cinco.

—¿Cómo lo conociste?

La chica regresa a su silla y comienza a relatar:

—Oscar fue mi rival en los concursos de matemáticas durante el bachillerato; a veces ganaba él y a veces yo; nos odiábamos. Pero en la competencia final y más importante, él me dejó ganar. A pesar de mi triunfo, me quedé triste, porque mi gran rival no había ofrecido resistencia. Más tarde lo vi en el patio de la escuela hablando por teléfono; llegué frente a él y le reclamé su falta de valor, pero no me hizo caso. Se veía angustiado.

Tenía problemas serios. Verlo tan triste me conmovió, así que lo esperé a que terminara su llamada y después volví a empezar. Le pregunté si podía ayudarlo y él me dijo que la madre de su mejor amigo había muerto de una manera horrible y que él tenía que irse para apoyarlo. A los ganadores de un concurso se les permitía salir de la escuela temprano para celebrar con su familia; como mis padres no habían ido a verme concursar y yo no tenía con quién celebrar, usé mi permiso y salí con Oscar; me lo agradeció mucho. Fuimos a ver a Mendel; estaba devastado. No sé si usted sepa cómo murió su mamá.

—Sí. Nos lo dijo ayer, en la junta que tuvimos con todos los maestros. Todavía no lo acabo de asimilar.

—Bueno, pues Mendel no paraba de decir que él la había matado. Lo cierto es que ese día, se quedó sin familia. Su papá desapareció, y a su hermano lo internaron en un albergue. Mendel se quedó en la calle. Oscar lo abrazó y lloró con él; luego le ofreció hospedaje permanente en su casa... Así, de pronto me vi envuelta en una tribulación ajena, tan patética que quise poner mi granito de arena para hacerla más llevadera. Me gusta dar consejos y animar a las personas, por eso cuando me gradúe pienso especializarme en tanatología. En fin. Ayudé a Mendel en la peor etapa de su vida y aprendí a amarlo fraternalmente. Como Oscar quería mucho a su amigo, al verme apoyándolo sin condiciones, se enamoró de mí. Comenzamos a salir. Fue una etapa muy bonita, la más feliz de mi vida, porque por primera vez sentí que le importaba a alguien.

—¿Tus papás no te demostraban afecto?

—Sí, a su manera. Son buenas personas, sin embargo, sólo viven para los negocios. Emigraron de Japón y pusieron restaurantes de comida japonesa. Recuerdo a mi papá siempre de mal humor, hablando en japonés respecto a problemas de sindicatos, leyes del seguro social, corrupción, inspectores y competidores. Hasta la fecha, mis padres tienen sólo el mismo tema de conversación: sus restaurantes. Soy hija única y trabajé como cajera y mesera; me sentía usada, hasta que Oscar llegó. Tuvimos un noviazgo hermoso; su familia me aceptó de manera increíble a pesar de que provengo de otra raza y cultura. ¡Yo amaba a su familia! Sus papás me hablaron del Dios occidental y yo abracé esa filosofía con pasión. Aprendí a amar a mi prójimo como a mí misma y a entregarle mis cargas al Ser Supremo que dio a su hijo para que todo el que en él crea no se muera, mas tenga vida eterna. También aprendí a querer a Mendel; las cosas entre Oscar y yo marchaban de maravilla. Inclusive llegamos a declarar que nos casaríamos. Pero Oscar tenía una fuerte carga de hormonas; le gustaba darme besos muy profundos y se excitaba con facilidad. Tanto en mi cultura japonesa tradicional como en la nueva filosofía que aprendí, no recomiendan las relaciones sexuales antes del matrimonio; así puse un alto. Entonces apareció Tábata, la despampanante liberal, y Oscar se quedó prendido de ella...

—¿Sigues resentida con esa chica?

—Sí. La comprendo por todo lo que ha sufrido, pero no confío mucho en ella.

—Ayer estaba muy contenta con Narciso. Los encontré saliendo de la cabaña. Parecían sobre estimulados.

—A lo mejor tuvieron sexo, tomaron alcohol juntos, o ¿quién sabe? Quizá hasta se drogaron.

—Lo mismo pensé.

Kidori se queda inmóvil, como guardando el aliento; luego expele:

—Ya revisaron las cosas de Narciso y no encontraron nada... ¿Por qué no echamos un vistazo a las de ella?

Me pongo de pie y bajo las escaleras a toda prisa. Kidori me sigue. Sondeamos las pertenencias de Tábata. Esta vez me siento intruso y hasta fisgón; la chica usa ropa interior muy pequeña, y aunque es Kidori quien revisa el arsenal, no puedo evitar una fuerte incomodidad al ver cómo lo desmenuza. No encontramos nada. Si tenían droga, la han desechado por completo. Sólo algo nos llama la atención. Una hoja doblada a modo de carta. La abrimos. Es de Mendel. Tiene un dibujo hecho a lápiz con minuciosidad extrema. En él aparecen varios personajes llorando alrededor de una tumba. Interpreto que uno de ellos, el más pequeño y ancho es el mismo Mendel. Está parado justo encima del sarcófago a través de cuyas paredes puede verse el interior, como en una radiografía macabra. Dentro del ataúd de manera cuidadosa y detallada se encuentra el perfil de un cuerpo femenino con evidentes atributos de belleza sensual, ahora inertes. Debajo de la espeluznante ilustración sólo hay tres palabras escritas con letras mayúsculas.

ADIÓS PARA SIEMPRE.

En la esquina derecha, la rúbrica de Mendel.

Kidori está tan asombrada como yo.

—Él no trajo equipaje —recuerdo—, sólo una mochila con libretas.

Sin hablar más, como si Kidori y yo pudiéramos leernos el pensamiento, corremos al cuarto de los hombres. Buscamos la mochila. Está arremetida en un rincón debajo de su cama. Kidori se tira al suelo y la alcanza con agilidad.

Dentro del morral hay parte de la ropa que le presté (sucia y hecha bolas), y tres cuadernos. Uno de ellos se destaca sobre los otros porque contiene hojas y fotografías pegadas en cada página. Lo abrimos. Parece el borrador de un incipiente libro. En la primera página se anuncia, rimbombante, el título de la obra y el nombre del autor.

Tábata

Por Mendel Yépez.

El cuaderno está lleno de poemas, cartas amorosas, descripciones detalladas del cuerpo y los ojos de la modelo.

—Mendel está perdidamente enamorado de Tábata —susurra Kidori—. Es su amor imposible.

—¿Tú no lo sabías?

—Sí, durante un tiempo sólo hablaba de ella, pero después algo ocurrió y no volvió a mencionarla.

Escuchamos risas y pasos en los maderos de la escalera exterior. Dejamos todo en su lugar y salimos de un salto al vestíbulo.

Narciso y Tábata aparecen.

—¿Dónde estaban? —les reclamo—, ¡quedamos de reunirnos en la terraza!

—¡Fuimos a buscar a Mendel! —dice la chica.

—Sentimos mucha preocupación por el Feo —comenta Narciso—. Si caminó dormido, pudo azotar en algún hoyo del terreno y romperse una pata. A lo mejor se lo llevó el río. Estuvimos echando ojo con la lámpara, pero no encontramos nada.

25

Al día siguiente no nos despierta la corneta de siempre sino las ensordecedoras hélices girando a gran velocidad de dos helicópteros policíacos.

Salimos a la planicie.

Varios alumnos y maestros están ahí, contemplando el aterrizaje de los autogiros que producen viento y ruido aparatosos.

Un oficial uniformado desciende del primer helicóptero. Leoncio se acerca y platica con él.

Llega una camioneta *miniván* blanca igual a la de mis cuñados. Mi corazón late más aprisa. ¿Son ellos? Camino inclinándome por ese instinto absurdo que nos hace agacharnos cuando pasamos debajo de las hélices en movimiento de helicópteros en tierra, como si ese ligero encogimiento nos pusiese a salvo de ser degollados por las aspas. Sí. Son ellos. Recibo a la hermana de mi esposa con un saludo que intenta ser efusivo:

—Hola, hermanita.

—Hola —responde con despego—. ¿Dónde está Mendel?

—No lo sé. Durmió en su habitación junto a la mía y ayer por la mañana no amaneció en la cama. Ha actuado muy raro por las noches. Duerme escondido debajo del colchón. También tuvo un episodio de sonambulismo; quizá por eso se perdió.

—A ver. ¡Momento! ¡Esas cosas sólo le ocurren cuando está muy angustiado! ¿No se supone que vino a este campamento para relajarse? ¡El director nos aseguró que aquí estaría tranquilo!

—Pues el director se equivocó. La experiencia de este lugar ha sido llena de emociones.

—¿Por los ejercicios que les han puesto? —pregunta mi cuñado.

—Sí —recuerdo su intento de suicidio y prefiero omitirlo—, pero sobre todo por la convivencia con sus compañeros en la cabaña. Saben quiénes son ¿verdad?

—No.

—Narciso, Tábata y Kidori.

—¿Qué? —exclama ella—. ¡Esto es un disparate! ¿A qué mente enferma se le ocurrió juntar a Mendel con esos tres muchachos? ¡Lógico que se iba a estresar!

—El rector de la escuela es un idealista; pensó que la experiencia resultaría beneficiosa.

—Si le pasa algo a Mendel —sentencia—, esta vez arremeteremos legalmente contra la escuela hasta verla hundida.

—¿Aunque en la universidad sólo hayan querido ayudarlo?

Si sus ojos fueran armas de fuego, yo caería fulminado en el acto.

Los helicópteros comienzan a despegar. Como aumentan las revoluciones de sus hélices, la estridencia nos impide seguir hablando. En uno de ellos se ha subido Leoncio y en otro, un nativo experto en la geografía del lugar.

—Espero que tengan suerte —bisbiseo.

Mis cuñados permanecen en el campamento cerca de dos horas. Visitan las cabañas y los senderos cercanos. Después de desayunarse, los noto menos álgidos; se han dado cuenta que cuanto está sucediendo no se debe a negligencia de mi parte. Me anuncian que tienen una cita con las autoridades de la localidad más cercana para pedir ayuda. Les ofrezco acompañarlos y me sugieren que permanezca en el campamento por si tengo noticias. Verificamos nuestros números de celular y se van.

Esta vez me mantengo al margen de las dinámicas del día. Nuevamente Gaviota se encarga.

Tomo asiento atrás del grupo, echando, de tanto en tanto vistazos nerviosos a mi celular. Saco mi libreta y trato de escribir.

Gaviota les pone a los muchachos un juego de adivinanzas en la que los equipos contestan, preguntan y representan parlamentos tratando de descubrir a un grupo de mentirosos. Cuando parece (eso creo) que han desenmascarado al equipo engañador, todos se ríen y hacen bromas bulliciosas. La maestra explica:

—Ya estudiamos (en el módulo de AUTO-CONCEPTO) que las mentiras que escuchamos y creemos menguan nuestra personalidad; ahora (en el módulo de AUTO-CUIDADO) hablaremos de las mentiras en el sentido de no producirlas. Cuídense de no convertirse en personas indignas de confianza; al mentiroso se le alteran las líneas de la cara, se le opaca la fisonomía y se le marchitan los ojos. Quien dice mentiras no puede ver de frente, no puede hablar claro; se vuelve un experto en dar excusas y evasivas. Conozco a un ex compañero de trabajo llamado Roberto que le fue infiel a su esposa; durante años mantuvo el secreto, le mentía a sus hijos, a su cónyuge y a su amante; tuvo que inventar historias y enlazarlas para evitar sospechas, cuando la confrontación era inevitable, evadía la charla haciéndose el ofendido; atacaba, insultaba y huía; también cultivó amistades mentirosas y comenzó a hacer caso de habladurías; como no se consideraba merecedor de lealtad, tampoco confiaba en los demás. Al mismo tiempo, Roberto desarrolló la costumbre de jurar; como en su interior tenía la vergüenza secreta de una doble vida, juraba por todo, juraba por la vida de sus hijos, por su madre, por Dios; hacía la señal de la cruz y la besaba. Un día, su esposa descubrió sus mentiras y lo corrió de la casa. Como Roberto acumuló un gran rencor hacia su amante, también se peleó con ella; entonces, después de tenerlo todo, se quedó en la calle; perdió la familia, el trabajo y el respeto por sí mismo. La mentira le produjo el peor tipo de vergüenza, la que se pudre en el interior y comienza a apestar hasta que la hediondez se escapa por los ojos... Roberto enfermó y se volvió físicamente desagradable. ¡Sucede con suma repetición!: La vergüenza secreta ocasionada por mentiras ***que decimos***, corrompe nuestra alma, nos agria el carácter, nos produce actitudes altaneras y efectos de escape. Defender mentiras es agotador, enfermizo, aplastante; achica y marchita la imagen pública. Así que si desean obtener algo bueno de este curso, a partir de hoy sean cien por ciento veraces. Hagan como si de su boca no pudiera salir una mentira. Hagan como si su definición como personas fuera ésta: *soy cien por ciento veraz; no quiero, no puedo, no sé mentir*. Hagan como si el mentir fuera el peor error que pudieran cometer. Poco a poco su personalidad se volverá confiable y proyectará la imagen de la verdad.

Gaviota termina su charla y permite más tiempo libre del habitual; ella también parece preocupada.

Ya entrada la tarde, escuchamos el lejano zumbido de los helicópteros que se va haciendo cada vez más fuerte a medida que se acercan. Aterrizan de nuevo en la explanada.

Leoncio salta a tierra ansioso de decir algo, miro su rostro; parece traer noticias.

26

—¿Lo encontraron? —pregunto casi a gritos para sobrepasar el ruido del helicóptero.

—No, pero los habitantes de una aldea dicen haberlo visto. Ya sabemos por dónde se fue; iba descalzo; lo rastrearán con perros antes de que oscurezca. Cuando lo encuentren nos van a llamar.

—Gracias a Dios.

Pero el día termina y no recibimos noticias.

Voy a la cabaña con gran turbación. Los tres jóvenes se encuentran en el vestíbulo. Parecen preocupados y acongojados, incluso noto en el rostro de Narciso una seriedad solidaria.

—No se preocupe —dice Tábata—, verá que pronto lo encontrarán.

—Sí —pero mi postura es decaída; ¿en qué parte del curso de personalidad dice que el miedo y la ansiedad también afean?

—Hoy estamos todos —dice Tábata—, ¿no le gustaría que subiéramos a la terraza a platicar un rato?

—No sé… creo que prefiero estar solo…

—A mí me gustaría orar —dice Kidori—, como nos lo sugirió Gaviota. Yo creo en un Dios vivo que hace milagros y que no nos va a abandonar. Mendel merece nuestra intercesión. ¿Podemos subir a la terraza unos minutos?

Dudo. Tábata apoya la propuesta:

—Yo no soy religiosa, pero creo que Kidori tiene razón. Cualquier cosa que hagamos puede servir. De eso a nada…

—No —desapruebo—, cada uno haga oración privada, en su cuarto, si así lo apetece. Hasta mañana.

Entro a mi cabaña; me derrumbo en el colchón.

¿Por qué rechacé a los muchachos? ¡Es la primera vez que los siento copartícipes y fraternos! ¿Qué me hizo refutar incluso el noble ofrecimiento de rezar por Mendel?

Desde que mi sobrino murió, ni siquiera he hecho el intento por hablar con Dios; sigo enojado, resentido, confundido.

Alguien toca a la puerta de mi cuarto con vacilación. Abro. Es Narciso.

—Necesito hablar con usted.

—Adelante.

—Yo sé que soy el mayor sospechoso de haber provocado que Mendel se fuera, pero le juro que no hice nada.

—Quisiera creerte.

—Se lo juro.

—Hoy aprendimos que la persona veraz no necesita jurar.

—Sí —medita unos segundos y extiende su mano dándome un papel doblado—. Vea esto.

—¿Qué es?

—Un dibujo hecho a lápiz. La última noche que estuvo aquí, debajo de la cama se la pasó haciendo rayones en esta hoja. Mire. No sé si signifique algo.

Veo el papel. Carece de la pulcritud y la meticulosidad del que estaba entre las cosas de Tábata. Se trata sólo de un prisma rectangular alzado verticalmente sobre un fondo arbolado.

—No entiendo. ¿Qué es?

—Se lo dejo para que lo analice.

—Sí, Narciso. Gracias.

—Hasta mañana.

Observo la hoja durante casi una hora. El rectángulo en tres dimensiones parece la imagen de un sanitario portátil o de una caseta de teléfonos antigua.

Me rindo.

Rumiando mi sinsabor comienzo a dormitar. Casi de inmediato, sueño con una enorme caja de madera; Mendel está adentro, tratando de mirar por una grieta. ¿Es un ataúd? No, porque el muchacho se puede mover en el interior. La imagen de la caja es vívida, perfectamente detallada; está oscuro y huele a zorrillo. Mendel empuja con todas sus fuerzas pero las paredes que lo aprisionan están hechas de tablas astillosas sin barnizar. Le falta el aire, pide ayuda; nadie lo escucha; se da cuenta que va a morir encerrado, araña su piel con desesperación; golpea la tapia, sufre un ataque de claustrofobia y su presión arterial se eleva al máximo. Hay un pequeño agujero cuadrado en la caja por donde entra aire, saca la nariz y aspira. Por lo menos no morirá asfixiado. Comienza a llorar y mira hacia la negrura de la noche.

Me despierto sudando. Veo el reloj. La una de la mañana.

Marco el teléfono celular de Leoncio, me contesta de inmediato.

—¿Sí?

—Soy yo ¿sabes algo de Mendel?

—No.

—Acabo de tener un sueño —le digo—. ¡Demasiado real! Varias veces me ha pasado algo similar. Por ejemplo, hace mucho mi esposa y yo llevamos a nuestro sobrino Oscar a un crucero; el niño tenía cinco años; yo regañé muy fuerte al niño porque estaba trepándose por el barandal del barco, luego llegamos al puerto de Kingston, desembarcamos y compramos algunas artesanías en el mercado; nuestro sobrinito se perdió; pasaron varias horas y no lo encontramos. El crucero zarpó y mi esposa y yo nos quedamos en Jamaica; angustiadísimos, muertos de terror; la policía jamaiquina nos dijo que quizá Oscar había sido robado por una banda de traficantes de niños. Esa noche dormimos en un hotel. Estábamos deshechos;

entonces tuve un sueño tan vívido como el de hoy; un sueño intenso, fuerte, como si yo hubiese estado ahí. Vi a mi sobrino escondido en una bodega del barco que navegaba en alta mar. Me desperté sudando, nos comunicamos con el barco y ¡ahí estaba! ¡En el crucero!

—Profesor ¿qué tratas de decirme?

—Acabo de soñar que Mendel está encerrado en una caja de madera.

—Últimamente también yo tengo pesadillas.

—No. Lo que soñé hoy fue *motivado* por algo. Mendel hizo un dibujo de la caja que le acabo de describir. ¿Quieres verlo?

—Ven.

Salgo corriendo.

Los perros que sueltan de noche para cuidar el campamento se me abalanzan ladrando tumultuosos.

Leoncio y Gaviota están parados junto al salón central con lámparas de mano.

Leoncio les ordena a los perros que se calmen.

—A ver ese dibujo —se lo muestro—, ¿y tú crees que Mendel está encerrado en una caja como ésta?

—Sí.

—¿Es un ataúd?

—No. Más bien es una especie de cuarto. ¿Será posible que cerca del poblado donde lo vieron haya compartimientos de madera completamente cerrados como éste?

—Aquí los tenemos. Y se parecen al dibujo.

—¿Donde?

—Como a quinientos metros, donde termina la carretera de tierra.

—¿Las bodegas de basura?

Gaviota protesta:

—¡Ya revisaron ahí!

—Mendel es sonámbulo —le recuerdo—, cuando sufre angustia, se levanta y se esconde para seguir dormido. A lo mejor estaba metido *debajo* de la basura.

Salimos al camino; es una noche sin luna y la oscuridad que nos rodea parece impenetrable. Caminamos alumbrándonos con las linternas. La jauría nos sigue. Recorremos sin hablar el eterno medio kilómetro hacia el final del camino. Cuando nos acercamos, uno de los perros percibe la presencia de algo que lo amedrenta. Se detiene y comienza a ladrar enardecido. Los demás perros reciben la alerta y se unen a los ladridos, furibundos.

Disminuimos un poco el paso.

Leoncio dirige el haz de luz hacia los tres bodegones de madera. Tienen una tapa superior abisagrada que se levanta para arrojar la basura hacia dentro, pero que al bajarla se atranca con una cerradura automática por fuera. Aunque los contenedores son idénticos, el tercero y más alejado presenta una pequeña anomalía que lo hace distinto. Alguien ha quitado pedazos de la tabla frontal dejando un agujero rectangular como pequeña ventana vertical.

Nos acercamos.

Vemos movimiento.

—Monos —susurra el guía—. Abundan. Vienen en la noche a tratar de robarse la basura.

—No —dice Gaviota—, hay un ojo dentro del contenedor.

Nos detenemos.

En efecto, la luz de la lámpara provoca el destello de una pupila dilatada. La imagen resulta casi terrorífica. Los perros ladran enloquecidos.

—¿Mendel? —me adelanto.

—Tenga cuidado. Puede ser un puma. Está muy oscuro.

No hago caso.

El corazón me late a toda prisa.
Vuelvo a preguntar.
—¿Mendel?
Nadie contesta.
El ojo parpadea.
¡Dentro del contenedor hay alguien!, aunque claro, podría ser un mono puesto que no responde a mi llamado.
Al acercarnos más, vemos debajo de la cara que se asoma parcialmente, una mano humana asida con mucha fuerza al borde del agujero.
Los perros siguen ladrando.
Corremos.
Destrabamos el seguro exterior de la tapa y la levantamos.

27

—¡Lo encontramos! —le digo a mi cuñada por teléfono a las cuatro de la mañana—, ¡se encuentra bien! Los paramédicos están revisándolo. Ya puedes estar tranquila. Mendel volvió a nacer. Al rato te llamo.

Casi todos los chicos del campamento están despiertos, en pijama, alrededor de la precaria ambulancia rural que acaba de llegar.

Los médicos revisan cuidadosamente los signos vitales del recién aparecido y no encuentran nada de qué alarmarse. Sólo está deshidratado. Sugieren llevarlo a la clínica del pueblo más cercano para tenerlo en observación y ponerle un suero.

Mendel protesta.

—¡No necesito ir al hospital, de verdad!, he pasado peores días que estos. Soy fuerte.

Entonces los médicos le dan dos botellas enormes de electrolitos orales y le dicen que se las tome poco a poco.

Regresamos a nuestras cabañas. Mendel camina despacio rodeado de varios compañeros. Tábata y Kidori lo abrazan. Percibo que el muchacho nunca se ha sentido tan querido.

Al amanecer, no suena la corneta de siempre. Leoncio nos deja descansar dos horas más.

Este día está programada una visita a la aldea que se encuentra a las orillas de la selva, en la que algunos de sus pobladores aseguraron haber visto a Mendel caminando descalzo cerca. Será interesante averiguar si de verdad lo vieron o dijeron mentiras.

Llegan los autobuses que nos llevarán a la aldea. Casi de inmediato, llega también la *miniván* blanca de mis cuñados. Vienen por Mendel. Los recibo tratando de explicarles que todo está bien, pero no me escuchan. Van conmigo hasta la cabaña. Mendel se encuentra dormido en mi habitación. Lo despiertan.

—Hijo —dice ella—, venimos por ti. Vámonos.

—Tíos —susurra el muchacho soñoliento.

—Tenemos cita con tu psiquiatra al rato. Vístete. Lo que te está pasando por las noches no es normal; ya lo habías superado.

—Falta poco para que acabe el campamento. Quiero quedarme, por favor.

—Es peligroso. Ya nos dijeron quiénes son tus compañeros.

—Ahora somos amigos, ¡de verdad! No se preocupen.

—Si le permiten quedarse —les digo—, prometo no separarme de él ni de día ni de noche.

Mis cuñados discuten entre ellos; después de una larga polémica, terminan accediendo. Cuando se van y me quedo solo con Mendel, le pregunto:

—Dime la verdad, ¿por qué te quieres quedar?

—Necesito averiguar qué me pasó —su voz suena lúgubre—. Para empezar ¿cómo me encontraron?

Saco la hoja con el dibujo del prisma rectangular.

—Tú trazaste esto la noche anterior a tu desaparición. Es el bosquejo exacto de la caja en la que estabas encerrado.

Mendel mira el papel y frunce las cejas.

—¿Quién se lo dio?

—Narciso.

—¡Pues yo no lo dibujé!

Se escucha por los altavoces el último llamado para subirnos a los transportes.

—¿Quieres ir a la excursión?

—¡Por supuesto! Tenemos que indagar. Vamos.

Pongo en mi mochila una botella de electrolitos y ayudo a

Mendel a levantarse. Pierde el equilibro unos segundos.

—Estoy mareado.

—Es normal, apóyate en mí.

Vamos hasta los camiones. Son dos. En el primero sube Gaviota como titular, y en el nuestro, Leoncio. Toma el micrófono y pide un aplauso para Mendel, que está sano y salvo. Luego comienza a decir.

—Hoy, ustedes verán cuanta pobreza y necesidad hay en el poblado indígena que visitaremos. Notarán niños enfermos, descalzos, sin ropa; verán familias enteras haciendo artesanías para vender a los escasos turistas. Sean amables con ellos. Si pueden, cómprenles lo que producen; si no, convivan con ellos y ámenlos. No los juzguen por su apariencia. Los indígenas de esta zona han sido muy discriminados y castigados; algunos han escapado de la esclavitud laboral más infame. Conviértanse hoy en sus amigos y servidores. Dense cuenta que hay belleza en la mirada dulce de un ser humano que necesita ayuda. Por otro lado, observen también cómo la corrupción de las modas y tradiciones de *belleza* igual que en la ciudad esclavizan aquí. Las mujeres de esta tribu se arrancan algunos dientes para verse bellas. ¡Ese es otro punto de reflexión para hoy! Dicen que *de la moda lo que te acomoda*, ¡pero muchas modas no le acomodan a nadie y hasta son nocivas! Entre nosotros, hay quienes, por ejemplo, tatúan su cuerpo o se ponen aretes en la lengua, nariz, párpados, estómago y genitales, a la usanza de las mujeres jirafas de Myanmar que alargan su cuello insertando anillos de metal hasta ocasionarse luxaciones vertebrales. Otros gastan todo su dinero en prendas que parecen viejas sólo porque tienen un logotipo en boga. La humanidad ha sido y continúa siendo manipulada por estándares de belleza *inventados*. Voy a leerles un escrito fabuloso de Ikram Antaki; disfrútenlo:

«Las mujeres del renacimiento no querían ser delgadas: mostrar los huesos por debajo de la piel era vergonzoso para ellas, por eso, comían cinco veces al día un puré de arañas para engordar rápido.

El famoso médico francés, Jean Liebault, escribió en su libro *Sobre la verdadera belleza de la mujer: "Los ojos deben ser saltones, la boca aplastada, las mejillas rojizas, la barbilla corta y adelantada, tan grasa y carnosa que descienda hasta el pecho como una segunda barbilla"*.

En el año 58 de nuestra era, Poppea luchó por conquistar la cama de Nerón. Para ser bella, se zambullía en baños de lecha tibia de burra, una esclava le traía nueve cacas de liebre en una copa de oro y Poppea las tragaba una a una; era una receta infalible para conservar los senos firmes. Luego le blanqueaban el cutis con un extracto de excremento de cocodrilo para atenuar las arrugas. Un cosmetólogo procedía a maquillarla: le pintaba las cejas con una cocción de hormigas machacadas con moscas muertas, le sombreaba los párpados con antimonio y le enrojecía los pómulos con una mezcla de azufre y mercurio. Después le cepillaban los dientes con un polvo de piedra pómez diluida en orina de adolescente.

Las mujeres se han encerrado en sus corsés hasta perder la respiración, trepadas sobre tacones de ocho centímetros, cargando faldas de cinco metros de ancho, aplastadas bajo peinados enormes, devoradas por pulgas y piojos. Pintadas de blanco, rojo, negro, azul, hasta perder los dientes y la salud.

Ahora, se admira e idolatra a mujeres delgadísimas, que saben caminar sobre ocho metros de pasarela y mantener una sonrisa vacía frente al fotógrafo. Esas top models, son ontológicamente huecas, sin ninguna personalidad, sin arrugas sin fallas. Un perchero de huesos, sin alma, ni acné, ni angustias, constituye hoy nuestro concepto de belleza, pero la normatividad de lo bello es asunto subjetivo». (8)

—Comprendan, muchachos —termina exhortando el líder—, que la verdadera belleza del ser humano está en la mirada, porque como bien dicen, es la ventana del alma.

Llegamos a la aldea. Encontramos chozas hechas con hojas secas y lodo endurecido. Muchos niños, alegres, desnudos de la cintura para arriba, algunos con enormes abdómenes parasitados, salen a recibirnos; nos llevan de la mano a hacer una visita a su comunidad; organizamos juegos y cantos con ellos. Se muestran felices y agradecidos. Las mujeres nos sonríen con su peculiar boca desdentada. Hacemos el ejercicio de mirarlos a los ojos para tratar de descubrir la belleza de sus almas. Varios de nuestros estudiantes parecen conmovidos.

Cuando vemos la ocasión, acudimos con el jefe de la aldea y le presentamos a Mendel. Le decimos que es el muchacho a quien estuvimos buscando con tanta desesperación el día anterior y le preguntamos quién dijo haberlo visto caminando cerca de ahí.

El gran jefe manda llamar a dos muchachos indígenas y charla con ellos en su dialecto. Podemos detectar que los adolescentes se muestran evasivos y suspicaces ante el interrogatorio. Miran hacia abajo. Evaden el contacto directo con nuestros ojos. No se necesita hablar el mismo idioma verbal cuando hay un lenguaje del cuerpo genérico que nos brinda información. ¡Ellos nunca vieron a una persona descalza deambulando cerca! ¡Proporcionaron pistas falsas y ocasionaron un operativo infructuoso de búsqueda con perros policíacos!

El jefe de la tribu los regaña de manera vehemente.

Termina la visita.

Subimos a los autobuses de regreso.

Le pido a Mendel que vayamos hasta la última fila de asientos.

Emprendemos el camino de vuelta. El ruido del motor diesel es casi ensordecedor. Me acerco al oído de Mendel y le comento.

—He estado pensando en el dibujo que me dio Narciso. Si tú no lo hiciste, significa que él quiso darme un mensaje para que te salvara a tiempo.

—Sí. Quizá cuando se dio cuenta que su broma iba a matarme se arrepintió de haberme llevado ahí.

—¿Y cómo pudo llevarte?

—Me drogó.

—¡Pero eres sonámbulo! Todos creen que fuiste tú quien se encerró solo.

—No profesor —se aproxima a mi oreja y dice con total convicción—. Las poquísimas veces que me he levantado dormido me he alejado apenas unos metros de la cama. ¡Esas bodegas están a medio kilómetro de la cabaña! Se necesita estar loco para pensar que caminé todo ese tramo dormido. No soy zombi. Aquella tarde yo acusé a Narciso por tener droga y estaba muy enojado conmigo. Más tarde nos dormimos sin hablar. Desperté debajo de muchos papeles de basura; pero me dolía la cabeza y estaba muy soñoliento; ¡demasiado!, casi no me podía mover… ¡Como si me hubieran anestesiado! Hace años, cuando me operaron del apéndice y salí del quirófano tuve la misma sensación.

—Narciso te dio un narcótico —declaro.

En cuanto llegamos al campamento bajo del autobús a toda velocidad.

28

Subo las escaleras de la cabaña y voy directo al cuarto de Narciso. Tomo sus enseres de baño. Encuentro lo que busco. En la misma bolsita donde guarda su crema y cepillo de dientes está el extraño frasquito color miel con gotero que, según él, es un leve tranquilizante que usa a veces para conciliar el sueño. Alguien le arrancó la etiqueta. Está casi vacío. Recuerdo que hace unos días el contenido tenía más de la mitad. Desenrosco la tapa. Identifico el nombre del laboratorio fabricante grabado en el plástico; vuelvo a cerrar la botellita, la aprieto muy fuerte con una mano y salgo.

Los muchachos desfilan hacia el comedor. El día ha terminado de forma satisfactoria. Se respira un ambiente relajado al fin. Kidori y Tábata toman cada una de un brazo a Mendel y hacen fila con él para recibir sus alimentos; Mendel me mira como preguntándome si hallé algo. No hago caso. Le doy la espalda y marco el teléfono celular. Contesta mi esposa.

—Cariño —le digo—, hazme un favor, te voy a dar el nombre de un laboratorio farmacéutico. Busca en la computadora si fabrica algún tipo de narcótico que se comercialice con gotero.

—¿Cómo dices, amor? ¿Estás bien? ¿Mendel está bien? ¡Mi hermana ya me platicó todo lo que pasó! ¿Por qué no te habías comunicado conmigo para ponerme al tanto de los problemas?

Son demasiadas preguntas.

—Mi vida, estoy bien. Mendel, perfecto; no te llamé porque no quería preocuparte. Ahora todo marcha de maravilla. Por favor, sólo haz lo que te pido —hablo despacio—. Ve a la computadora y busca la página de este laboratorio —le vuelvo a dar el nombre.

—¡Te noto mal! ¡Tu voz es intranquila! ¿Pasa algo?

—Está bien... —accedo—. Sí. Pasa algo. Creo que una persona le dio a Mendel algún tipo de sedante; tal vez lo hizo con el gotero poniéndoselo entre los labios mientras dormía y lo drogó. Es sólo una sospecha, pero si resulta cierta, lo más evidente es que esa persona lo llevó cargando hasta el basurero y lo dejó encerrado ahí.

—A ver. No lo anoté. Perdón. Dime otra vez. ¡Madre de Dios! ¿Cómo se llama la medicina?

—Le arrancaron la etiqueta, pero tengo el nombre del laboratorio. Investiga.

—Dame unos minutos. ¿Me puedes volver a llamar?

—Háblame tú en cuanto sepas algo. Traigo mi celular prendido.

—Sí. Adiós.

Corta.

Después de la cena se organiza una fogata. Hay ecos de generosa fraternidad.

Tábata abraza tiernamente con el brazo izquierdo a Narciso y recarga la cabeza en él; con el derecho enlaza a Mendel quien a su vez eslabona a Kidori. Los cuatro, sentados junto a la fogata, entonan canciones uniéndose al coro de los demás.

Me cuesta trabajo leer el lenguaje corporal de los muchachos. Narciso no parece sentirse culpable de haber cometido una fechoría; por el contrario, diríase que está más relajado y enamorado que nunca. Tábata y él se besan continuamente.

Después de un rato, Mendel y Kidori se apartan para charlar. Sentados uno frente al otro parecen abstraídos en una conversación interesantísima.

Marco el número de mi casa otra vez.

—¿Encontraste lo que te pedí?

—¡No! —he transmitido angustia a mi esposa—. El laboratorio tiene una larga lista de medicamentos pero no produce narcóticos ni sedantes. Quizá le cambiaron la tapa al frasco.

—Sigue investigando, cariño.

—Tal vez te equivocas tienes una pista falsa.

—Tal vez, pero no puedo descartarla hasta estar seguro.

—En Internet no hay nada. Ya me cansé de revisar. Mañana llamo al laboratorio muy temprano para seguir investigando; si es necesario voy a las oficinas. Por lo pronto, descansa.

—De acuerdo, mi amor, tú también descansa.

Termina la fogata. Mañana nos espera una de las actividades más emocionantes: descenso en los rápidos de un río muy crecido. Gaviota reparte libritos de lectura individual con instrucciones para el día siguiente; ¡los ejemplares tienen más de cincuenta páginas!, nos recomienda leerlos a conciencia y dormir bien.

En cuanto entramos a la habitación, Mendel me pregunta qué investigué. Lo pongo al tanto. Observa la botellita café; la destapa, y la huele. Se encoge de hombros y me la entrega.

Bromeo con él.

—Me gustaría amarrarte el pie con una cuerda a la pata de la cama, así no podrás escaparte dormido.

—No hace falta, profesor —ríe—, hoy me siento muy tranquilo.

Por si las dudas atranco la puerta con una silla y me propongo no dormir, o mejor dicho, dormir vigilante a mi alrededor. Creo lograrlo de modo fugaz, pero antes del amanecer Narciso irrumpe en la habitación empujando todo con mucha fuerza.

El ruido me hace saltar.

—¿Qué pasa?

Narciso, blanco, aterrorizado, con los ojos muy abiertos da bocanadas de aire. Se está asfixiando.

Me pongo de pie y lo inquiero a empellones:

—¿Tragaste algo? ¿Qué se te atoró?

Mis demandas despiertan a las chicas. Salen de su cuarto.

—¿Qué sucede? ¡Oh no! —Tábata corre hacia su novio—. ¡Santo Dios! ¡Está casi azul! —voltea a verme despavorida—. ¡Profesor se está ahogando! —de pronto grita como si hubiese recibido una descarga eléctrica—. ¡Mire!, ¿qué es esto? —vuelve a gritar—, ¡tiene hormigas en las piernas! —comienza a sacudírselas con desesperación—, ¡rápido!, ¡ayúdeme! Son hormigas de fuego. ¡Él es alérgico!

Hasta entonces me doy cuenta que estoy agarrotado, prisionero de una rigidez infundida por el pánico.

No puedo pensar.

Kidori entra al cuarto de Narciso y sale casi de inmediato.

—Hay una bolsa de plástico, como de basura —informa—, ¡llena hormigas! ¡Alguien arrancó el hormiguero del árbol y lo trajo hasta acá!

Tábata no deja de gritar y pedir auxilio.

Volteo a ver a Mendel. No se encuentra en la habitación. Quizá fue por ayuda.

Narciso comienza a desvanecerse, víctima de un choque anafiláctico.

29

Leoncio le inyecta a Narciso un broncodilatador, después, como si se tratara de una rutina ensayada previamente, le pone un suero genérico para contrarrestar venenos de ofidios y arácnidos.

El joven reanuda despacio los movimientos torácicos derivados de una lánguida pero estable respiración.

La misma precaria ambulancia rural que nos visitó el día anterior llega con la sirena abierta; los paramédicos se manifiestan asombrados por tantas y tan frecuentes contingencias (¿quién no?). Aprueban, sin llegar a festejar, los procedimientos que llevó a cabo Leoncio para salvarle la vida al muchacho. Dicen que el estado de Narciso sigue siendo crítico y deben llevarlo a la clínica del pueblo. Antes de que la ambulancia se vaya, solicito al chofer los datos del sitio al que lo llevarán y le pregunto si cuentan con el equipo médico necesario. Me dice que su clínica es la mejor opción posible en cien kilómetros a la redonda y me da una tarjeta.

A los pocos minutos llega el comandante Nava, jefe de la policía local; el mismo que durante dos días estuvo dirigiendo por aire y tierra la búsqueda de Mendel. Leoncio lo saluda con una frase que pretende sonar chistosa.

—Ya nos estamos haciendo clientes.

—Muy gracioso, profesor, pero esto se está saliendo de control. Necesito hablar con usted y con las personas que se encontraban en la cabaña donde ocurrió el incidente. Vamos a la oficina.

Los implicados (Kidori, Mendel, Tábata y yo) acudimos, pero como no cabemos en ese recinto, terminamos en el salón de plenarias.

Observamos al resto de los muchachos preparándose para el descenso en el río. Por lo visto, tendrán que cargar balsas, remos, y demás equipo hacia el cauce fluvial de difícil acceso por senderos que se vuelven estuarios.

¡Cómo lamento que mis chicos y yo sigamos metidos en aprietos y tengamos que perder esa importante actividad!

El comandante Nava reconviene a Leoncio:

—Usted es el responsable de todo lo que sucede durante la estancia de los jóvenes en este sitio. ¿Verdad?

—Sí.

Suena el celular; miro la pantalla, es mi esposa. Dudo. Como no me decido y dejo tintinear el aparato, el agente me pregunta molesto:

—¿Quiere contestar?

—No. Después.

—Decía —piensa un par de segundos para retomar el hilo—, hay varias cláusulas en el contrato que tenemos con la universidad que hablan de la posibilidad de cancelar la concesión que se le ha dado para el uso de esta reserva con fines educativos. Las condiciones mencionan específicamente *daños al medio ambiente* o *situaciones de riesgo para las personas.* En este campamento han ocurrido las dos cosas.

Por primera vez veo a Leoncio perder el atractivo. Titubea. Se traba al hablar.

—Este… no, los muchachos… perdón; es que… lo siento.

El agente triunfante da la estocada para rematar:

—Recomendaré al gobierno federal la anulación de sus licencias —se agarra la visera de su gorra policial haciendo una pequeña reverencia—. ¿Señores?

Leoncio respira, aprieta los labios, frunce las cejas, organiza sus ideas y pone en orden los matices de su imagen *haciendo como si* tuviera razones de peso que exponer.

—No se vaya comandante Nava, por favor; debo darle datos que tal vez desconoce —espera a que el agente regrese sobre sus pasos y habla usando dicción perfecta—. La rectoría de la universidad nos envió a cuatro estudiantes que se encuentran en un complejo proceso de rehabilitación. Los expertos de la facultad determinaron que la inclusión de estos jóvenes en nuestro programa les ayudaría resolver sus problemas, llevándolos a un nuevo nivel de compromiso con la vida y la sociedad. Lo que ha sucedido aquí son contingencias cuyos riesgos se evaluaron previamente. La universidad tiene todo bajo control. No hemos infringido las cláusulas del contrato con el gobierno. Las personas involucradas en nuestras actividades están fuera de riesgos y no existen daños a la ecología del lugar.

—¡Claro que existen daños y ha habido riesgos humanos profesor! Ayer estuvo a punto de morir un muchacho que encerraron en el bote de basura y hoy amaneció otro joven envenenado por alguien que mutiló un hormiguero volante; ¡esos hormigueros son extraños y están en investigación! Usted lo sabe.

Mi celular vuelve a sonar. Tengo el impulso de contestarlo, pero Leoncio me acribilla con los ojos. Corto la llamada y pongo el teléfono en vibrador.

—Vamos a dividir las cosas —refuta nuestro líder—. Mendel, aquí presente, tiene un trastorno de sueño que lo hace caminar parcialmente dormido y esconderse; lo desarrolló cuando era niño como mecanismo de defensa para huir de las palizas que su padre le daba en las noches; se quedó encerrado en la bodega por accidente. ¿No es así, Mendel? —el chico asiente—; en lo referente a las hormigas, por supuesto que le doy la razón; alguien quiso hacerle una broma pesada a Narciso, pero pudo ser cualquiera de los cuarenta y ocho jóvenes restantes del campamento. Las cabañas no tienen cerradura.

—Rompieron el hormiguero…

—Sí, lo cual lamento muchísimo también, es un nido *sui géneris*, pero le aseguro que voy a encontrar al culpable; quizá hasta lo expulsen de la escuela. Por lo pronto, mis ayudantes indígenas están recogiendo el hormiguero con cuidado y recolectando las hormigas para volver a ponerlas en su hábitat. Les pagaremos muy bien a esos muchachos. ¿Sabía usted que hemos dado trabajo a varias decenas de personas locales?

Nava infla los cachetes y deja escapar el aire muy despacio por entre los labios.

—Tiene usted mucha labia, profesor.

—Mi intención es hacerle saber que estamos del mismo lado, comandante; sus preocupaciones son las nuestras y nos sentimos profundamente agradecidos por la forma en que nos ha apoyado. Usted es un ejemplo de funcionario público en el país. Mencionaré eso en el reporte que enviamos a las autoridades.

—Bueno, bueno, no es para tanto.

—Sólo digo la verdad.

—Prométame que esto no se repetirá y que reforzará un plan de protección para todas las especies de la selva.

—Prometido.

El comandante Nava se pone de pie otra vez y repite su salutación antes de retirarse.

Cuando nos quedamos solos, Leoncio camina alrededor del recinto, tratando de contener una rabia que si fuera volátil se le escaparía por las orejas como humo.

—¿Vieron lo que estuvo a punto de ocurrir? ¡Casi nos cancelan la licencia del campamento! ¡Quiero que me digan qué rayos sucedió! ¿Quién de ustedes le puso esas hormigas a Narciso?

Mi celular vibra. Leoncio se ofusca.

—¿Estás esperando una llamada urgente, profesor?

—Sí, señor. Lo siento. Voy a contestar.

Salgo unos minutos. Mi esposa me informa que el laboratorio médico no produce narcóticos ni sedantes, pero sí un fuerte barbitúrico en gotas que se prescribe en casos de psicosis y esquizofrenia; no lo tienen publicado en su página Web porque es un producto de uso restringido. Le doy las gracias y prometo que la llamaré más tarde.

Vuelvo al salón. Observo la escena. Leoncio, colérico, insiste en indagar. Tábata se muerde los nudillos de una mano con el rostro bañado en lágrimas, Kidori mira hacia el techo del salón, como si quisiera resolver un complejo rompecabezas y Mendel mueve la cabeza sonriendo de forma leve.

—Todos ustedes sabían que Narciso es alérgico a las hormigas de fuego. Quien tuvo la osadía de cortar el nido, meterlo a una bolsa y llevarlo hasta su cama, sabía que eso podía matarlo... El asunto sobrepasa los alcances de una broma estudiantil. En el código penal, se tipifica como intento de asesinato.

Kidori pregunta.

—¿Pudo ser cualquiera de los cuarenta y ocho estudiantes restantes, como usted dijo?

—No nos hagamos tontos. El culpable está aquí —hace una larga pausa y sondea—. ¿Tábata?

La chica mueve la cabeza. Explica, angustiada:

—A mí me ha costado mucho trabajo encontrar un hombre que me valore de verdad. ¿Cómo iba a querer hacerle daño a Narciso? Él y yo nos queremos.

Leoncio se dirige a la japonesa.

—¿Kidori?

—No sé qué decir. Narciso me cae mal pero yo soy incapaz de lastimarlo a él o a alguien más.

—¿Mendel?

—Yo tampoco fui. El profesor Pablo atrancó la puerta anoche para evitar que me parara dormido. Él sabe que no salí de la habitación.

—¿Y tú qué piensas, profesor? —me pregunta a mí.

Avanzo dos pasos y me detengo.

—No sé si decirlo aquí.

—¿Qué? ¿Sabes algo que nosotros no?

—Sí.

—¡Pues dilo de una vez!

Saco de mi bolsa el frasco con gotero y se lo doy.

—Narciso tenía esto entre sus pertenencias. Es droga de uso psiquiátrico. Creo que él sedó a Mendel y lo llevó cargando hasta la bodega de basura.

—Y eso significa…

—Que lo de las hormigas fue una revancha. Un acto vengativo de *alguien* que *quiere mucho* a Mendel…

Silencio. La tensión aumenta.

No hay demasiadas opciones… Recuerdo.

«Ayudé a Mendel en la peor etapa de su vida y aprendí a amarlo fraternalmente».

Kidori aprieta los labios y agacha la cabeza.

30

El interrogatorio continúa. Kidori no confiesa haber cometido la falta. Tampoco los demás, pero los noto tan coordinados en sus respuestas que olfateo con asombro que los tres pudieran estar confabulados. Leoncio se da por vencido. Está fastidiado. Nos conmina a pensar en el asunto y a estudiar la lección del día.

Siento una intensa jaqueca.

Voy a caminar por los senderos cercanos.

Necesito pensar y despejar la mente.

Marco el teléfono del hospital y pido hablar con Narciso. Me hace falta escuchar su versión de los hechos.

Contesta una enfermera. Indican que el joven está dormido.

Regreso al campamento después de trotar un par de horas.

Veo que los estudiantes han vuelto después del *rafting*. Varios de ellos desfilan hacia el comedor con esa extraña combinación anímica en el rostro tan reiterada los últimos días: agotamiento y euforia.

Me uno a los recién llegados. Es hora de comer.

Por primera vez no busco a mis alumnos. Nos sentamos en diferentes mesas.

Elijo la compañía de comensales especialmente felices; necesito que alguien me contagie su alegría. Aunque todos están enterados de lo que le pasó a Narciso, los chicos de esa mesa no parecen interesados en conocer detalles. En vez de ello, me platican la aventura que vivieron.

—Anoche, después de la fogata —dice un joven que parece el cabecilla de su equipo—, nos dieron un libro para que lo leyéramos; era el instructivo del *rafting*. Aunque nos advirtieron de lo importante que era, ninguno lo leímos a conciencia. Estábamos excitados por la próxima aventura y no nos interesaba estudiar. Sin embargo, en ese documento había indicaciones importantísimas para la actividad. Cuando llegamos al río, los guías supusieron que todos habíamos leído el libro y nos permitieron hacer las cosas solos. Ahí comenzó el caos. Nos preparamos mal, nos acomodamos peor y emprendimos la hazaña, río abajo, sin conocer las rutas ni los procedimientos. El río tiene varias bifurcaciones; no leímos que debíamos tomar siempre el camino de la izquierda; caímos en zonas muy impetuosas; nos volteamos; incluso llegamos a pequeñas cascadas que no supimos afrontar y volvimos a caer; ¡estuvo muy feo!, ¡hicimos todo al revés!, remamos mal; nos gritamos y acabamos peleando; para colmo, varamos en una zona sin acceso y tuvimos que cargar la balsa por tierra mucho tiempo. Cuando nos reunimos con los maestros, Gaviota tomó el susodicho librito y leyó en voz alta algunos párrafos. Hubo expresiones de ira, porque todo lo que necesitamos saber estaba perfectamente explicado ahí. ¡Si tan sólo lo hubiéramos leído!

—Vaya —comento—, ¿y en qué se relaciona la lección de hoy con el tema de la personalidad?

El profesor, guía de los chicos, se comide a exponer:

—La imagen que proyectamos al mundo está respaldada por conocimientos e inteligencia. En el viaje de la vida quien no tiene preparación y actualización constante, tarde o temprano desluce, por muy apuesto que sea —abre la carpeta de teoría y completa leyendo algunos apuntes de refuerzo—: Una diputada vestía de modo perfecto y su imagen era admirable hasta que le hicieron una entrevista; no sabía dónde estaban los Países Bajos; pensó que eran los de abajo en el mapa; la diputada era una belleza hueca. Hay un proverbio que dice: «Anillo de oro en hocico de cerdo es la mujer bella de poco cerebro».[9] Muchos hombres salen con mujeres hermosas de poca preparación sólo para disfrutarlas sexualmente; del mismo modo hay mujeres que salen con hombres poco inteligentes para quitarles su escaso dinero. La persona con belleza hueca es tratada como desechable; por eso debemos dedicar tiempo al arreglo físico, pero no tanto como al enriquecimiento del cerebro. La sustancia vale más que el cascarón. Nuestra imagen es dinámica, movida por ideas e intenciones. No somos estatuas de cera; somos seres pensantes cuya personalidad mana del alma (mente, emociones y voluntad). La belleza exterior puede ser atrayente a primera vista e incluso despertar pasiones, pero tarde o temprano se desmoronará si no tiene sustancia. Es preciso trabajar de manera consciente con la mente; no creer saber todas las respuestas; no hacer de nuestra vida un templo de adoración al cuerpo; ser más inteligentes, aprender más, volver a estudiar, leer más. Quien tiene recursos mentales, sabrá cómo sacar partido a su físico y hasta cómo ser más sensual, pero al que le falta preparación, acabará proyectando una imagen pobre, aunque tenga buen cuerpo y rostro simétrico. Personajes famosos lo dijeron a su modo. León Tolstoi: *Opino que lo que se llama belleza, reside únicamente en la sonrisa, y una sonrisa surge del interior*. Félix Lope de Vega: *Yo he visto mujeres feas que cuando las tratas, son hermosas*. La Condesa de Blessinton: *El mejor cosmético para la belleza es la felicidad*. Noel Clarasó: *El que no lleva la belleza dentro del alma, no la encontrará en ninguna parte*. Jean-Baptiste Moliére. *La belleza del rostro es frágil, es una flor pasajera, pero la belleza del alma es firme y segura*. Si quieren una personalidad atrayente necesitan *cerebro*. Aquí, la apuesta de Pascal no funciona: es improcedente ***hacer como si*** tuviéramos sustancia, ***¡por fuerza, hay que tenerla!***

Los jóvenes, optimistas y fraternales, se levantan de la mesa. Me despido de ellos. Es evidente que se aprecian entre sí. Quizá el problema más grande de su cabaña sea decidir quién apaga la luz antes de dormir. ¿Por qué no me habrá tocado dirigir un grupo así?

Salgo del comedor.

Llamo por teléfono a la clínica rural. Pido hablar con Narciso. Me lo comunican. Le pregunto cómo está.

Lo noto distante, apagado, con voz cobarde.

—Estoy bien —me dice—, pero quedé un poco traumado. De pronto siento hormigas caminando por todo mi cuerpo y se me vuelven a cerrar los bronquios. Dicen que es una psicosis temporal.

—Narciso, ¿tú tomas medicamentos psiquiátricos?

—No.

—Pues el gotero que tenías en tus enseres, es un fuerte barbitúrico de uso controlado. ¿Para qué lo utilizas?

—No es mío.

—¿De quién es?

—De mi papá. Se lo dieron cuando tuvo un ataque de nervios muy agudo. Como lo dejó a la mitad, me lo quedé; le pongo una gotita a mi cena de vez en cuando para dormir bien.

—No me digas —me burlo—, ¿y en los últimos días te acabaste la botellita?

—Se me derramó.

—¿Cómo? ¿Tratando de dársela a Mendel para dejarlo inconsciente antes de cargarlo y llevarlo a las bodegas de la basura?

Silencio total.

—¿Estás ahí, Narciso?

—Sí.

—¿Te das cuenta de lo que hiciste? ¡Pudiste matar a tu compañero! ¿Eso querías?

Parece que la llamada se está cortando a causa de una mala transmisión.

—¡No me cuelgues, Narciso! Te tengo bien localizado. Estás en un grave problema. Lo único que puede atenuar tus faltas es haberme dado ese dibujo para decirme dónde estaba encerrado tu compañero. Mendel no lo dibujó. Fuiste tú. Dime qué pasó. ¿Por qué trataste de lastimarlo de esa forma? ¿Quién te arrojó las hormigas, después?

El ruido de la línea se incrementa. Camino hacia un sitio más abierto buscando mejor recepción.

—Narciso ¿me escuchas?

—Sí.

—¡Dime lo que sabes! —cambio la estrategia—. Prometo que trataré de ayudarte.

Comienza a hablar despacio y con volumen bajo, como si quisiera evitar que alguien más lo escuchara. Aprieto el pequeño aparato contra mi oído. Cuando las palabras del muchacho se filtran una a una hasta mi entendimiento los latidos de mi corazón se aceleran y la sangre en el cerebro me hace oír un falso zumbido; aún con todo, no tengo elementos para ver el cuadro completo, pero la confesión de Narciso me permite vislumbrar partes cruciales del enigma. El resto sólo requiere de imaginación.

—¿Estás seguro de lo que dices?

Apenas oigo su respuesta afirmativa.

¡Dios santo! Un repentino y traicionero vértigo me obliga a ponerme en cuclillas.

¡Hasta cierto punto, era lógico! ¿Cómo no lo adiviné antes?

Narciso termina su confesión.
Tardo en articular palabras.
—Lo que acabas de decir son acusaciones muy graves.
—Lo sé…
—La cosa no acaba aquí. Tal vez tengas que testificar.
—También lo sé.
—Nos veremos.
—Que duerma bien, profesor.
Siento su despedida como una fina y sanguinaria puñalada.
Me incorporo y corro hasta la cabaña.

31

Hablo conmigo mismo en voz baja:

—Sé estratégico, nadie debe notar que conoces la verdad.

Encuentro a Mendel sentado en las escaleras exteriores.

—¿Dónde están tus compañeras?

—Arriba.

—Diles que las espero en la terraza; vamos a tener una reunión.

Paso junto al muchacho y voy a mi recámara. Respiro agitadamente; tomo la carpeta de notas. Se me cae. Los papeles se deslizan debajo de la cama. Los levanto. Estoy muy nervioso. Trato de desacelerarme y pensar. ¡Debo hacer las cosas bien! Ya no puedo permitirme más errores.

Me pregunto cómo le harán los agentes policíacos unos minutos antes de atrapar a un criminal. Necesitan nervios de acero; proceder con la sutileza de un neurocirujano.

No debo fallar.

Marco el teléfono de Leoncio.

—Soy yo, Pablo —me identifico—. ¡Ya sé que es lo que pasa! Sí. Sí. Ya lo sé… —bajo la voz al máximo—. Tengo datos claros. Por supuesto —hablo en un susurro—. Descubrí lo de las hormigas rojas, pero eso es sólo la punta de un enorme iceberg. Hay cosas ocultas muy feas. Mis muchachos están enterados de todo y no han querido hablar. Ellos lo saben. Los tres. ¡Sí, los tres! Voy a interrogarlos. Debo hacerlo con cuidado. Lo mantendré informado.

—¡Profesor! —escucho la voz de Mendel en el vestíbulo—. Estamos listos.

Me sobresalto. Corto la llamada y carraspeo con nerviosismo.

—Ya voy.

Mi corazón debe estar latiendo a una frecuencia superior a ciento veinte por minuto. Tomo la carpeta del curso y subo las escaleras hacia la azotea.

Kidori y Tábata están sentadas en la mesa de trabajo, sin hablar. Mendel, recargado en el barandal vigila el escenario.

—Vamos a repasar la lección que nos encargaron —digo tratando de fingir indiferencia a los hechos recientes—, por desgracia perdimos la actividad del río, pero de cualquier forma debo asegurarme de que aprendimos los conceptos. ¿Alguno de ustedes platicó con los muchachos que fueron al *rafting*?

Ninguno contesta. Mendel sigue parado como vigía junto al barandal.

—Ven. Toma asiento, por favor.

Lo hace, sin embargo, todos perciben emociones cortantes. Tengo los nervios a flor de piel, como un cazador que le apunta a tres presas escondidas detrás del matorral. Los muchachos se sospechan descubiertos e insisten en agazaparse con el anhelo secreto de poder escapar ilesos.

—Quienes fueron al río —les digo—, se divirtieron mucho, ¡pero les fue muy mal! La mayoría tuvo serios problemas por no leer el libro de instrucciones. La enseñanza central de hoy es que como nuestra personalidad se origina en el cerebro, precisamos ejercitarlo leyendo libros. Hoy, muchas personas han dejado de leer libros porque todo lo buscan en Internet, pero hacer eso es tan absurdo como querer ser atléticos y limitarnos a ver videos de deportes. Para estar en forma hay que ir al gimnasio. Ningún aparato moderno puede sustituir al ejercicio físico. Lo mismo pasa con el cerebro. Para ser personas inteligentes y preparadas hay que leer libros. No existe otra práctica capaz de sustituir los beneficios que eso nos da —mi pequeño auditorio me mira alerta; sus pensamientos les causan vibraciones cercanas a la perturbación. No parecen apáticos o desganados, sino muy por el contrario, mantienen la guardia en alto, adivinando que tramo algo en contra de ellos.

Trago saliva, y de inmediato aplico una técnica que aprendí hace años dando clases: cuando tropieces en tu discurso, sientas la presión de un grupo demasiado inquisitivo u olvides el parlamento de una clase, haz preguntas; oblígalos a participar—. A ver, cada uno lea por favor un párrafo del material.

Comienzan a hacerlo, pero la tensión nerviosa no disminuye.

—Todo individuo dispuesto a fortalecer la esencia de su personalidad debe tener una pequeña biblioteca propia. Los libros en espera de ser leídos son una muestra de cultura potencial. La biblioteca debe ser como el celular: *personal.* Comprar y atesorar libros, aunque no se lean todos de inmediato, es señal de perspicacia. Gabriel Zaid dice: «*La gente que quisiera ser culta* va con temor a las librerías, se marea ante la inmensidad de todo lo que no ha leído, compra algo que le han dicho que es bueno, hace el intento de leerlo sin éxito y cuando tiene ya media docena de libros sin leer se siente tan mal que no se atreve a comprar otros. En cambio *la gente verdaderamente culta* es capaz de tener en su casa miles de libros que no ha leído, sin perder el aplomo y sin dejar de seguir comprando más. Toda biblioteca personal es un proyecto de lectura. Todo libro no leído es un cúmulo de sabiduría en espera de ser absorbido. Mientras se encuentre reposando en el librero de una persona culta, el libro cumple su razón de existir. Tarde o temprano será leído».[10] El Internet nos brinda artículos cortos e información burda; sirve, sin duda, pero no hay como tener la investigación de un autor y el criterio completo. ¡Adquiere libros! ¡Vuélvete un amante de los libros! Cualquier niño puede buscar en Internet; cualquiera ve una película; pero quienes leen libros y usan toda la capacidad mental e imaginativa que sólo los libros pueden estimular, alcanzan un nivel de personalidad superior. ¿Los libros son caros?, ningún libro lo es, considerando todas las horas humanas de trabajo e investigación que estarán disponibles para ti por el resto de tu vida. La personalidad con esencia tiene un fuerte respaldo intelectual, y el mejor ejercicio que existe para el intelecto es leer libros. Jamás olvides esto si quieres lograr proyectar una imagen de impacto...

Me devuelven la carpeta y la cierro muy despacio. No puedo evitar sentirme halagado al comprobar que mis convicciones como lector insaciable y escritor en ciernes son neurálgicas para lograr una buena personalidad. De entre todos los temas del campamento, éste sería mi favorito. Lástima que las emociones reinantes no son las más favorables para entenderlo. Habrá que repasarlo después. Por lo pronto, mis *presas* parecen haberse resignado a esperar detrás del matorral. Se ven más tranquilas, aguardando con paciencia que el cazador se retire. Pero yo estoy más avieso que antes.

—¿Alguno de ustedes ha pensado en escribir un libro? —apunto hacia mi objetivo de hacer que Mendel confiese su obsesión secreta.

Ninguno contesta.

Kidori, se atreve a asomarse para opinar.

—Hoy todos quieren escribir libros, profesor, y casi *cualquiera* se atreve a hacerlo con las ayudas electrónicas, pero eso no significa que *cualquiera* pueda ser escritor. ¿Cómo se adquiere la cultura y vocación de las letras? ¿Se necesita estudiar una carrera afín?

—Eso ayudaría, claro, pero un buen escritor sobre todo se hace siendo primero un buen lector. ¡Exclusivamente quien lee mucho y bueno puede escribir bien! ¡Uno escribe su propia versión de lo que ha leído, usando el ritmo de sus autores favoritos!

Mendel se ha desprevenido por completo. Cree que nuestra junta tenía solo intenciones académicas y coopera preguntando:

—¿Usted está escribiendo un libro sobre este campamento?

—Sí. Me encargaron un reporte, pero ha sido tan intenso que no me sería difícil transformarlo. ¿Tú podrías enriquecer mi material con el tuyo?

—Perdón.

—¿Quieres hablarnos sobre el libro que estás escribiendo?

—¿Cuál?

—Uno que se llama *Tábata*.

—¿Perdón? —pregunta la morena estirando el cuello—. ¿De qué hablan?

Mendel me mira con odio.

—¿Le explicas tú o le explico yo?

—¿Husmeó entre mis cosas?

—Sí. Cuando te perdiste, busqué pistas para poderte encontrar —como el muchacho está paralizado, prosigo dirigiéndome a Tábata—. Mendel tiene una enorme libreta en la que colecciona fotografías tuyas entremezcladas con descripciones, poesías y cartas para ti.

Kidori hace bailotear sus piernas, viendo para otro lado, como dispuesta a salir corriendo. Estoy empezando a jalar el hilo de la madeja. Tábata nos mira a todos con la boca entreabierta.

32

—¡Lo sabía! —la modelo habla despacio pero con gran tensión en las cuerdas vocales—. Eres un pervertido; un miserable acosador. Me has estado espiando desde hace mucho tiempo.

—Yo, no...

—Entendí bien, ¿verdad profesor? ¡Usted comprobó que el Feo me ha tomado fotos a escondidas y me describe por escrito!

Kidori defiende a su compañero.

—¡Mendel te admiraba!; quería regalarte una sorpresa con el libro que estaba escribiendo para ti, pero tú lo echaste todo a perder.

—¿Me admiraba? ¿Y por eso me tomaba fotos?, ¿igual que Jenaro, mi medio hermano? ¿El pervertido que me violó? ¿Qué les pasa a los hombres? —se le corta la voz.

—A ver, Tábata —intervengo—, tú sabes que Mendel siempre te ha querido. Hasta te hizo un dibujo minucioso para despedirse de ti.

—¿También esculcó mis cosas?

—Sí. ¿Quién de los dos me explica lo que realmente ha pasado entre ustedes?

—No ha pasado nada —dice ella—. Él es un acosador. Ya les dije que justo después de que me violaron apareció. Desde entonces no puedo quitármelo de encima.

Volteo a ver al muchacho.

—Explícate.

—¡Déjenlo en paz! —interviene Kidori—, ¡Mendel no digas nada! Recuerda lo que acordamos. Es peligroso.

La analogía mental que antes hice respecto a que mis presas

potenciales temblaban detrás de un matorral, se hace real con Mendel. Empieza a temblar.

—Cálmate —le digo—, ¡y habla!

Está acorralado. Sólo la japonesa persiste en escapar. Trato de relajarla también.

—Kidori, confía en mí. Los tres están prisioneros de secretos muy negros. Libérense *ahora*.

—Es que usted no sabe...

—¿Mendel?

El muchacho entrecierra los ojos justo como lo hizo antes de atravesar el puente flotante sobre el supuesto lago azufroso.

—Está bien —dice—, le voy a contar, pero aténgase a las consecuencias —se da valor y relata de un hilo—. Después de que mi madre murió, Oscar y su familia me hospedaron en su casa. Yo me portaba amable y discreto con ellos, pero mantenía una doble vida. Estaba convencido de que mi padre mató a mi mamá por culpa mía, y sentirme degradado hasta la podredumbre me causaba un placer masoquista. Así que cada noche me dirigía al burdel en el que vi por última vez a mi papá, y me entregaba a los brazos de mujeres pagadas; ellas no preguntaban; sólo me daban consuelo y amor fingido. A ese lugar llegaban muchos hombres. Había una pandilla de tipos agresivos que cuando me veían, me hacían la vida imposible. A veces me sacaban del antro a empujones porque decían que les espantaba a las mujeres. Eran groseros, vulgares, abusones. Una noche me quitaron el celular y comenzaron a hacer llamadas con él; no me lo devolvieron. Los escuché decir que planeaban irse temprano porque tenían una fiesta privada. Cuando salieron, los seguí. ¡Sólo quería recuperar mi celular! Se subieron a una camioneta de carga, sin ventanas. Yo iba a prudente distancia en mi carrito viejo mirando para todos lados en busca de una patrulla para pedir ayuda. Entramos a una zona de terrenos baldíos y estacionaron la camioneta junto a la acera. Alcancé a detenerme dos cuadras antes y también me estacioné. Pensé que me habían visto. La calle estaba solitaria y tuve miedo de que se bajaran a agredirme, pero eso no sucedió. Minutos después pasó un auto compacto color azul. La camioneta se puso en marcha, alcanzó al autito y le obstruyó el paso. Cuatro de los tipos, con pasamontañas en la cabeza, se bajaron de la camioneta, abrieron la portezuela del auto pequeño y sacaron a la conductora a jalones. Me di cuenta que iban a secuestrar una mujer. La obligaron a subir a la camioneta, pero para mi sorpresa, el vehículo no se movió. ¡Se quedó ahí, en medio de la calle! Tuve mucho miedo. Quise acercarme y no me atreví. Esperé que pasara algún coche para pedir auxilio. Cuando apareció el primero me puse en medio de la vía haciendo señas con ambos brazos, y casi me atropella. Ocurrió lo mismo con otros tres. ¡Los autos aceleraban al ver la calle solitaria y oscura con una camioneta sospechosa atravesada! Después de unos diez minutos, dos de los enmascarados bajaron a la chica de la camioneta y la arrojaron al suelo. Se fueron. Entonces corrí hacia ella. Estaba hecha un ovillo, cubriéndose el cuerpo semidesnudo en posición fetal. Lo entendí de inmediato. La habían violado. Empecé a tocar el claxon. Vi que en su auto había una manta sobre los asientos traseros, la jalé y se la puse encima. Ella lloraba con los párpados apretados. Al fin pasó un coche que se detuvo y el chofer bajó el vidrio. Le pedí que llamara a la policía. Minutos después llegaron las patrullas y ambulancias. Me ofrecí a rendir declaración de todo lo que vi. Incluso hice retratos hablados de los delincuentes. Visité a Tábata en el hospital y le conté lo que sabía. Ella tenía fotografías de Jenaro. Me las enseñó y le dije que ése era uno de los tipos que la atacó. Cuando salió del hospital la acompañé a denunciar a

Jenaro, quien huyó de la ciudad con sus compinches. Yo estaba indignadísimo, porque mi papá también andaba prófugo, y me preguntaba, exasperado, cómo era posible que la justicia fuera tan endeble. Tábata y yo nos hicimos amigos. Ella lloró mucho conmigo. Se quejó de los hombres; dijo que odiaba a todos los galancillos, caritas, que usan su atractivo físico para mentir y seducir. En eso nos identificamos a plenitud; yo también detestaba a ese tipo de sujetos. Le conté que un *bonito* sedujo a mi madre y por su culpa ella murió. Nos consolamos mutuamente. Aunque es más alta que yo, una noche salimos a bailar. A ella todos la volteaban a ver porque es muy hermosa, y a mí me despreciaban por feo; como pude, la protegí y ella me lo agradeció. Después de bailar, nos sentamos a platicar; le dije lo diferentes que éramos y ella no quiso escuchar. Me tapó la boca con sus labios. Yo no podía creerlo. La emoción me enloqueció. Ella siguió besándome. Luego me abrazó con mucha fuerza... Entonces entendí lo que es estar enamorado. Fue el día más feliz de mi vida.

Mendel guarda silencio. Su confesión ha levantado una afluencia de emociones indiscretas. El escenario es estático. Me atrevo a preguntar.

—¿Tábata, eso es cierto?

—Sí.

—¿Todo?

—Sí, pero cuando lo besé estaba borracha. Nunca imaginé que el Feo se iba a obsesionar así conmigo.

—Tábata, yo no estoy loco —dice Mendel—. ¡Siempre te respeté! Sabía que pasarían muchos años antes de que pudieras tener sexo otra vez, pero estaba dispuesto a esperar toda la vida si era necesario.

—¿Qué pasó después?

—Nada —dice Tábata—, lo que tenía que pasar. Le expliqué al Feo que yo lo quería sólo como amigo, pero él insistió en conquistarme. Dijo que tarde o temprano se casaría conmigo y me suplicó que le permitiera seguirme viendo. Creo que entonces fue cuando comenzó a tomarme fotos a escondidas.

—¡Mentira! —protesta Kidori—, todas las fotos que tenía tuyas, en ese entonces, eran posadas; tú lo dejabas tomártelas, mirabas a la cámara y adoptabas posiciones sensuales, como siempre. ¡Tábata, tú jugaste con él! Lo manipulaste y lo usaste para tus asquerosos fines.

—¿Qué fines? —pregunto.

—Anda, Tábata, díselo. Ninguno de los tres podemos echarnos para atrás ahora.

La modelo, de cuya capacidad para posar ante la cámara con extraordinarios resultados, no dudo ni un segundo, expone:

—Quise desanimar a Mendel para no hacerlo sufrir. Eso fue todo.

—¡Abusaste de él! —insiste Kidori—, le pediste varios favores, siempre dándole esperanzas de amor.

—¿Qué favores? —insisto.

Esta vez, Mendel enumera con voz neutra, como si estuviese hablando en automático mientras su mente piensa en otras cosas:

—Ella no estudiaba; me pidió que le consiguiera las respuestas del examen de admisión para entrar a mi universidad, lo cual hice; luego me pidió dinero para su inscripción; se lo di. Después me pidió que le resolviera sus tareas e hiciera sus trabajos; no tuve objeción. Me suplicó que le consiguiera un perro de ataque; dijo que se sentía insegura en su casa; le envié el perro con su manejador; yo lo pagué. Otro día me dijo que estaba haciendo una investigación sobre el sida y que deseaba entrevistar a una prostituta seropositiva; fui al burdel donde muchas mujeres me conocían y conseguí el capricho de Tábata; ¡ah!, y varias veces me solicitó prestado mi carro, también se lo di. Para colmo me pidió que llevara a Oscar a una fiesta que ella iba a organizar y cuando llegamos dijo que la fiesta se canceló; sólo estaba ella. Me suplicó que me fuera y la dejara sola con Oscar. También lo hice… Perdóname Kidori…

33

Tábata se echa el largo cabello hacia atrás y protesta.

—¡Mendel, estás haciendo sonar todo como si yo fuera una malvada abusadora! Pero no lo soy; ¿qué tienen todos en mi contra? Oscar me prefirió a mí, por razones obvias. Eso es todo —se dirige a Kidori—. Mírate, china, estás flaca y escuálida.

Por primera vez noto en la siempre dulce voz de Tábata un deje de maldad. No es lo que dice, sino cómo lo dice.

Mendel se dirige a mí.

—Profesor, usted debe saber esto: Tábata tuvo varios novios; uno de ellos llegó a verme con la nariz desviada, el ojo inflado como pelota, caminando con las piernas muy abiertas; me dijo que no iba a levantar cargos en mi contra si le devolvía su cartera. ¡Según él, la había dejado escondida en la cajuela de mi carro! Yo no entendí de qué hablaba. Fuimos al estacionamiento de la universidad, abrí la cajuela y el joven se inclinó para sacar su cartera metida en un rincón. Me mostré muy confundido y él me preguntó si de verdad yo no le había mandado a los tipos que lo golpearon y le echaron ácido en los testículos. Me quedé frío. ¡La semana anterior, Tábata me pidió el carro prestado! En mi cajuela había rastros de sangre, cabello y ácido de batería.

Miro a Tábata de reojo. Hay tensión e ira en su semblante. Necesito llamar a Leoncio. Él debe oír esto. Tomo mi celular y trato de marcar discretamente, pero ella se da cuenta y me arrebata el aparato.

—¿Qué hace? —pregunta como enloquecida—. ¡Está tratando de grabar o tomarme fotos con su celular! ¡No soporto que hagan eso!

Se para y arroja el teléfono a la foresta.

—¡Tranquila!

—¡Me están levantando falsos! —vocifera—. ¡El Feo acaba de decir que yo mandé golpear y lastimar a uno de mis novios! ¡Eso es mentira!

Corroboro mis sospechas. Ante la actitud pendenciera de Tábata, todos nos ponemos de pie. Kidori agarra el brazo de Mendel como para hacerlo sentir respaldado. Me asombra que la modelo haya sido capaz de sembrar ese pánico en los muchachos.

Mendel sigue hablando.

—Estoy diciendo la verdad. Cuando ese pobre tipo de la nariz rota y los testículos quemados me dijo lo que le habías mandado a hacer, te reclamé; ¡dijiste que si él denunciaba, todas las pruebas estarían en mi contra! ¡Entonces sí! Empecé a seguirte. ¡Lo confieso! ¡Te tomé fotos a escondidas! Hasta tengo un video tuyo entrenando ninjutsu. Siempre usabas la misma técnica. Primero seducías a los hombres y luego los lastimabas. ¡Estabas furiosa con todos porque te violaron!

—¡Mentira! —Tábata se lleva las manos a la cabeza y se despeina sin querer—. ¡Ese cuento lo inventaste por despecho! Yo jamás he lastimado a nadie.

Ha llegado la hora de destapar mis cartas. Le digo:

—Hace rato hablé con Narciso por teléfono y me aseguró que fuiste tú la que le arrojaste las hormigas de fuego a la cama.

—¡Mentira! —se desgañita—. ¡Mentira!

—Y no sólo eso —continúo—. Lo incitaste para que le diera una fuerte lección a Mendel, porque, según tú, te acosaba y te molestaba. ¡Fuiste la autora intelectual de todo! ¡Trajiste la botella de barbitúricos y le explicaste a Narciso cómo ponerle las gotas en la boca a su compañero, luego lo persuadiste para que se lo llevara hasta el basurero y lo dejara ahí! No le permitiste terminar con la broma cuando pasó el tiempo. Querías matarlo.

El rostro de Tábata ha cambiado. Tiene las cejas fruncidas de forma exagerada, la boca abierta, los labios alzados enseñando hasta las encías y mira con ojos de fuego. Resopla. Hace un esfuerzo por salir bien librada, pero se le están acabando los recursos.

—¿Cómo voy a obligar a un hombrezote como Narciso a hacer algo?

—Un par de tetas jalan más que dos carretas —acota Kidori.

—No digas estupideces, china, idiota. Narciso es un celoso empedernido. Él drogó y encerró a Mendel por iniciativa propia y ahora me quiere involucrar en sus tropelías. ¡Está enfermo!

Hago un último esfuerzo pacificador.

—No, Tábata. Tú eres la enferma. Necesitas ayuda profesional.

—¡Están conspirando en contra de mí! —dobla el cuello hacia delante; su largo cabello lacio le cubre la expresión; segundos después, cuando levanta la cara, sorpresivamente, de forma casi mágica, ha cambiado su aspecto y muestra un gesto dulce e infantil—, ¡no me hagan eso! —trata de sollozar—. Soy una mujer buena. He sido muy lastimada. No abusen de mí otra vez.

—Eres una excelente actriz —dice Mendel—, pero yo tengo pruebas de tu maldad. Las he recolectado por meses. Te hiciste novia de Luciano el Loco para pedirle que golpeara y quemara con ácido al pobre tipo que metieron a la cajuela de mi carro. Después tuviste otro novio al que citaste en tu casa la noche en la que me pediste el perro de ataque; ¡el perro lo mordió y casi lo mata! Lo supe porque el entrenador me lo dijo después. ¡Tú lo propiciaste! Le dijiste al manejador que un supuesto ratero andaba rondando tu casa. Luego convenciste a la prostituta con sida para que contagiara el virus a otro de tus novios. Tengo todo documentado. Cada hombre que te ha buscado por tu belleza, acabó mal; Luciano el Loco está en la cárcel, Narciso, en el hospital y Oscar, mi hermano, muerto.

—¿Dónde tienes toda la información que dices? —pregunta Tábata, esta vez con la más espeluznante expresión parricida que jamás he visto—. ¿En tu cuaderno? ¿En el libro que estás escribiendo sobre mí? —da un paso al frente, toma a Mendel del cuello y lo inmoviliza con un desplazamiento rápido—, no voy a dejar que me difames. Inventaste todo para meterme en problemas.

—Suéltalo —le grito y me acerco dispuesto a empujarla. Sólo entonces me doy cuenta que la chica ha puesto una pequeña navaja en el cuello de su compañero. ¿Dónde traía esa arma? ¿Cuándo la sacó?

Mendel dice apenas:

—Tábata sabe dar golpes mortales; ella le dijo a Luciano cómo picar en el lugar preciso a Oscar.

—Cállate, pendejo. Vamos, llévame a tu cuarto y dame ese pinche libro mugroso lleno de mentiras —aprieta la punta de la navaja contra su yugular y lo obliga a moverse—. A mí nadie me va a embarrar de mierda ajena. Vamos a romper esa puta libretita.

—Tábata —le grito—. Más te vale que sueltes a Mendel, antes de que te disparen.

—¿De qué habla?

Al avanzar hacia la escalera, se topa de frente con Leoncio y el comandante Nava, quien le apunta directo a la cara con una pistola.

34

Dos policías escoltan a Tábata con las manos esposadas. La suben a la parte trasera de la patrulla principal. Algunos muchachos y maestros de otras cabañas observan la escena. Cuando los vehículos policíacos se alejan dejando en la oscuridad una estela de polvo sólo perceptible por el olfato, los espectadores quedamos patidifusos, como animales exánimes que han dejado de luchar. Después de unos minutos le pregunto a Leoncio.

—¿Cómo se te ocurrió llamar a la policía?

—Yo no quería hacerlo, pero cuando me hablaste por teléfono, le conté todo a Gaviota y ella me aseguró que la bomba estaba a punto de estallar. Discutimos un rato sobre las ventajas y desventajas de seguir involucrando a las autoridades en nuestros problemas, pero ella me convenció de que esos no eran *nuestros* problemas y necesitábamos apoyo.

Más jóvenes llegan a la planicie; el rumor de lo que ha sucedido continúa propagándose entre los campistas. Los más lentos en reaccionar se presentan de forma extemporánea.

—Regresen todos a sus cuartos —Leoncio aplaude apremiando a estudiantes y profesores—, deben descansar; aquí no ha pasado nada.

Los concurrentes no obedecen. Es obvio. Tienen derecho a saber.

Leoncio rectifica.

—Está bien. Aquí pasaron muchas cosas. Les prometo que mañana los pondré al tanto. ¡Vamos!

De forma perezosa, jóvenes y mentores caminan hacia los senderos de vuelta a las cabañas.

En la llanura quedamos sólo los protagonistas más cercanos del drama.

—Siento un terrible agotamiento —declara Kidori—. Anoche no pegué el ojo pensando que podía ser asesinada.

Mendel exhala una fuerte bocanada de aire, como quien acaba de terminar un maratón.

—Yo también estoy rendido. Todavía no puedo creer que se llevaron a Tábata.

—Momento —les digo—. Ustedes se sienten cansados pero yo sigo asustado. ¿Los dos sabían que esa mujer era culpable de varios crímenes y no la denunciaron? ¿Por qué callaron incluso cuando el comandante Nava les preguntó lo de las hormigas?

—Yo no tenía idea de lo peligrosa que era Tábata —contesta Kidori—, incluso, la primera noche me peleé con ella porque no se puso pijama. ¿Se acuerdan? ¡Fue una gran imprudencia!; ni siquiera sabía que ella sabía ninjutsu. Mendel me puso al tanto de sus sospechas apenas *anteayer*. Yo estaba aterrada, pero él insistió en que no debíamos decir nada hasta que terminara el campamento porque la vida de ambos peligraba. Además, no teníamos pruebas contundentes.

—¡Pero qué tontería! ¡Mendel —me dirijo a él—, tú cuentas con fotografías y documentos que prueban la culpabilidad de Tábata!

—¿Usted leyó bien esa libreta?

—No, sólo la hojeé.

—Pues en ella sólo hay fotografías posadas y papeles sin importancia.

—¿Cómo? ¿Entonces todo lo que le dijeron a Tábata...? ¿Fue una trampa?

—Sí.

Mendel ha comenzado a arañarse las heridas de navaja que se hizo en el antebrazo; se arranca las costras y sangra. Ya nada me conmueve. Lo recrimino otra vez.

—¡De todas formas debiste hablar *antes*! ¿Por qué te arriesgaste y pusiste en riesgo a Kidori, a Narciso y al resto de tus compañeros? ¡Esa mujer es psicópata! ¡Ella mandó matar a Oscar! ¿Por qué no la denunciaste desde entonces?

El muchacho se lleva ambas manos a los ojos en forma de puños y aprieta fuertemente sus párpados como si quisiera reventarse los globos oculares. Emite un largo y lastimoso gemido.

Kidori lo abraza.

—Tranquilo, amigo. Tú no tienes la culpa de nada. Entiéndelo. Estás limpio. Eres un hombre bueno. Lo que ha pasado alrededor de ti ha sido circunstancial. Tú no lo ocasionaste.

Se desmorona. Comienza a llorar encorvando la espalda hacia delante. Minutos atrás fui testigo del lloriqueo fingido de una actriz queriendo manipular, pero lo que estoy presenciando ahora es un dolor legítimo que nos estremece. El llanto de Mendel proviene desde lo más profundo de su alma hecha pedazos. Después de un rato se controla, baja los puños y en la misma posición encorvada, trata de explicar entremezclando sus palabras con ecos de aflicción.

—Cuando le reclamé a Tábata por el muchacho que mandó lastimar en la cajuela de mi coche, ella me dijo que era ***mi*** coche y que si yo decía algo, sus amigos se encargarían de hacerme parecer culpable de todo… Luego entendí que el perro que mordió al otro infeliz era ***mi*** perro, y que la prostituta que contagió de sida a su tercer novio, era ***mi*** conocida; también fui yo quien llevó a Oscar con Tábata... ¡Puse a mi amigo en sus brazos! ¡Hice todo mal! ¡Todo lo hago mal! Ella se encargó de recordármelo. Era brutal y astuta. Me amenazó sutilmente. Una vez la vi tomando clases de ninjutsu y me asustó su obsesión por matar.

Leoncio, Gaviota y yo cruzamos las miradas. No sabemos qué hacer ni qué decir. Los tres profesores estamos afectados. Por fortuna, Kidori toma la rienda otra vez.

—Mendel, todo lo que ha pasado en este lugar ha sido positivo. ¡Date cuenta! Tus cadenas se han roto para siempre. Ella se fue. Además, no olvides lo que aprendiste. Eres un ser humano especial, apuesto, único; hecho para ser feliz... Fuiste creado con un propósito bueno. Dios promete que aquellos que lo busquen y confíen en él, serán realmente bellos. Uno de los salmos lo dice: «Los que miraron a él fueron alumbrados y sus rostros no fueron avergonzados».(11) Entiéndelo. ¡No hay vergüenza para el que acude a su Padre del cielo y se deja transformar! Tú has sido muy avergonzado por los demás, pero eso tiene que acabar ya. El anhelo más grande de tu corazón es no ser avergonzado nunca más. Dice otro pasaje: «Tengo el anhelo y la esperanza de que en nada seré avergonzado, sino que con toda confianza, Dios será exaltado en mi cuerpo y su luz brillará en mí».(12) En este aforismo, lo contrario de ser avergonzado es que la luz divina brille en tu cuerpo; el concepto es hermoso. ¿Lo quieres? Pídelo. Búscalo. Ya no tengas miedo. Si te sientes digno y ligado al Creador, no volverás a experimentar vergüenza jamás. Él te lo promete: «no temas, porque no volverás a ser avergonzado, no te sientas humillado porque no serás agraviado, yo haré que olvides la vergüenza de tu juventud».(13) Deja de llorar, reclama esa promesa para ti, y nadie por el resto de tu vida te volverá a llamar *Feo*.

Las palabras de Kidori se quedan en el ambiente después de que las ha pronunciado. No por algo es la alumna más sobresaliente de la universidad.

Mendel se incorpora. Toma a su compañera de la mano y la aprieta. Sin decir nada más, ambos comienzan a caminar muy despacio de vuelta a la cabaña.

Gaviota se limpia el rostro; luego cuestiona.

—Hay una cosa que no acabo de comprender. Tábata, tiene una gran belleza física. Desde que entró al salón por primera vez todos voltearon a verla.

—Eso fue su perdición —opino.

—Sí, sí, pero el aspecto de ella también era dulce, ¿cómo pudo engañarnos?

—Hay mucha maldad en el mundo —dice Leoncio—; atractivos falaces; gente especializada en fingir que es buena para ocultar infames intenciones…

—¡Pero entiéndeme, Tábata era una excelente actriz!

—No tanto —opino—, aunque aparentaba nobleza, jamás te veía a los ojos con honestidad, casi siempre bajaba la mirada, fingía timidez y hasta derramaba lágrimas forzadas. No era transparente, pero yo creí que su inconsistencia se debía a la violación que sufrió; por eso, para mí, ella siempre fue la última sospechosa de los problemas que sucedían.

—Increíble —exclama Gaviota.

—¡Vaya encomienda que te delegó el rector! —dice Leoncio—. Los cuatro alumnos que tenías en esa cabaña eran *muy* especiales.

No puedo hacer otra cosa que asentir.

35

La corneta que marca el inicio de actividades suena a las seis de la mañana. Los miembros de la cabaña número tres no nos hemos distinguido por ser los más atléticos, porque, entre otras razones, solemos estar siempre desvelados. Hoy no es la excepción.

Gaviota dirige los ejercicios matutinos; esta vez organiza una clase de zumba. Pone música a todo volumen y nos hace bailar hasta el agotamiento.

No veo a Leoncio por ningún lado. Estamos recuperando el aliento después del zangoloteo, cuando observo que el pequeño auto de nuestro líder se estaciona detrás de la cocina. Narciso viene con él. Corro a recibirlos.

—Buenos días —saludo—. ¿Cómo estás Narciso?

—Bien, ya me recuperé. Vine a matar hormigas.

Reímos.

—Pues ahora deberías ser amigo de ellas —le digo—, aún más: deberías haberte convertido en el hombre hormiga, igual que le ocurrió a Peter Parker cuando lo picaron las arañas.

Volvemos a reír.

—No le conocía esa faceta, profesor.

—Coleccionaba comics.

Mendel y Kidori se acercan. Saludan. Hay recelo en sus miradas, pero también intenciones de reconciliación.

—¿Ya te platicaron lo que pasó? —le pregunta Kidori al recién llegado.

—Sí. Es increíble.

—Les tengo algunas noticias frescas —agrega Leoncio—. Hablé con el comandante Nava y me dijo que Tábata confesó sus crímenes. Hay más, ¡de los que ni siquiera tenemos noticias!; la van a enjuiciar con mucha severidad; por otro lado, el resto de los muchachos, necesita una explicación. No puedo permitir que se tergiversen los hechos con rumores. Así que planeo reunir a todos después del desayuno y quiero que cada uno de ustedes les diga algo sobre lo que vivieron, pero especialmente sobre lo que aprendieron, ¿están de acuerdo?

Nos miramos. Aunque mis muchachos y yo no parecemos entusiasmados con la idea, tampoco tenemos razones para disentir.

El peor martirio sucede siempre durante el compás de espera. Por fortuna, el desayuno termina pronto y todo se da rápidamente.

La sesión plenaria se organiza con más celeridad que de costumbre. Estudiantes y mentores toman su sitio, expectantes.

Mendel se acerca a mí y susurra:

—Me hizo mucho bien desahogarme ayer, pero todavía tengo un secreto que me asfixia.

Lo miro, desconcertado. A estas alturas podría esperar cualquier cosa de él.

—¿De... de... veras? ¿Otro secreto? ¿Quién rayos eres?

—¿Cree que pueda decirlo aquí?

—¿No pone en riesgo la integridad de alguien?

—No. Es personal. Sólo me afecta a mí.

—Bueno, de ser así, dilo. ¿Por qué no? Los secretos que guardamos son parásitos vivos que corroen; pero en cuanto salen a la luz, mueren y pierden toda su importancia.

—De acuerdo.

Leoncio toma la palabra.

—Este ha sido un campamento muy diferente, lleno de accidentes y oportunidades de aprendizaje. Creo que no ha habido uno igual antes ni lo habrá después. En ese sentido somos privilegiados. En la cabaña número tres se reunieron a las personas más cercanas de Oscar Briceño. Los profesores y directivos sabíamos que la convivencia entre esos jóvenes iba a ser compleja, pero nadie se imaginó de qué forma. Hubo discusiones, peleas, un intento de suicidio, la sospecha de drogas, la desaparición de un muchacho, la agresión a otro con hormigas de fuego y por último, el arresto de una señorita... Ustedes vieron a la policía anoche. Ahora les voy a explicar por qué sucedió todo esto —sigue hablando; los asistentes escuchan atentos e interesados como nunca; no se oye el más mínimo sonido mientras Leoncio revela de forma puntual y completa los detalles que dieron origen a tantos problemas. Me sorprende su capacidad de síntesis. Al terminar la exposición nos pide a los miembros de la cabaña número tres que pasemos al frente a compartir cuanto aprendimos. Leoncio insiste en que le demos un enfoque positivo a la experiencia.

Mis muchachos y yo nos movemos despacio. Caminamos al frente sin saber quién debe ir primero; mientras nos ponemos de acuerdo, Gaviota hace una aportación.

—Jóvenes, yo quiero decir algo rápido. Después de lo que pasó anoche, debo enfatizarles que sean cuidadosos para observar y escuchar. ¡No se dejen impresionar con adornos superfluos! ¡Aprendan a ver más allá de las apariencias y descubran la verdadera belleza de las personas!; entrénense en el arte de ver los valores ¡y cuiden sus propios valores también! De nada sirve que nos arreglemos o vistamos con pulcritud cuando somos grotescos por dentro. Imaginen a una persona, alta, de ojos claros y dientes alineados, pero que además, tiene *lengua* mentirosa, *manos* que hacen daño, *mente* depravada, *pies* que van hacia lugares donde se hace el mal, *boca* que dice infamias, *cuerpo* que ocasiona peleas y divisiones. No es difícil imaginarlo, después de lo sucedido aquí. El rey Salomón dijo: «Hay seis cosas, y hasta siete, que Dios aborrece por completo: los ojos altaneros, la lengua mentirosa, las manos que asesinan a gente inocente, la mente que elabora planes perversos, los pies que corren ansiosos al mal, el testigo falso y el que provoca peleas entre hermanos».[14] ¡Más claro ni el agua! Toda la noche estuve pensando en este asunto; por eso quise decírselos…

Gaviota nos deja el escenario libre.

Mis alumnos están nerviosos; me han cedido el honor de hablar primero.

—Yo no quería venir a este lugar —digo con voz ronca—, estaba muy lastimado por la muerte de mi sobrino, y la idea de un campamento me pareció absurda. Al llegar aquí, detecté que los muchachos de mi cabaña también estaban heridos. En especial, me llamó la atención Tábata (¿y a quien no?) es una de las mujeres más bellas que muchos hemos visto; se mostraba dulce, tímida, necesitada de afecto. Su mayor virtud era saber utilizar la apuesta de Pascal. *Hacer como si.* Esa herramienta funciona siempre, para bien o para mal: convence al mundo y a quien la usa. Tábata sabía *hacer como si* fuera buena; se lo creyó por momentos y nos lo hizo creer… ¡Era virtuosa! Pero recuerden que un buen cuchillo lo es en manos de un gran cocinero o de un asesino. Cuando unimos nuestras virtudes a nuestros sentimientos y anhelos secretos, tenemos como resultado nuestros valores. Como bien dijo Gaviota, sin importar apariencias, los valores tarde o temprano salen a la luz y son prioritarios sobre el cuerpo. Eso es lo más importante que aprendí en estos días.

Retrocedo y le indico a Narciso, parado a mi diestra, que es su turno. El joven enfrenta el reto.

—A mí también me obligaron a venir —comparte—, al principio me sentía furioso, pero anoche, en el hospital, estuve reflexionando. Desde hace años cuido mi cuerpo, voy al gimnasio y procuro vestir bien. Algunos me han hecho burla porque mi nombre es igual que el del personaje mitológico enamorado de sí mismo, y yo he contestado que soy narcisista a mucha honra. Pero ayer entendí que detrás de mi vanidad hay una gran inseguridad. Jamás he hecho nada útil porque he querido agradar a todo el mundo, he sido manipulable; ¡siempre acabo haciendo lo que otros me piden con tal de que no se burlen de mí! Por eso dejé la escuela varias veces para unirme a pandillas; por eso hice lo que Tábata me pidió: dopé a Mendel, lo encerré en la bodega de basura y agredí verbalmente varias veces a nuestro mentor. He sido un pinche idiota. Ah, y también un majadero, pero estoy arrepentido.

Sobreentendemos que se halla dispuesto a cambiar, aunque no lo dice. Regresa a su sitio.

Es el turno de Mendel. Noto en su semblante el mismo espasmo que le he descubierto cuando se ve presionado a revelar sus recuerdos más incómodos. Se resiste. Todas las miradas se centran en él.

36

Mendel comienza a hablar, pero se arrepiente. Da un paso atrás y le pide a Kidori que ella diga algo primero.

Su compañera acepta, haciendo gala de sus dones intelectuales:

—Yo sólo quiero decirles que este campamento ha sido muy provechoso para mí —saca una hoja y la desdobla—. Hice un resumen de los principios que aprendí. En el módulo de AUTO-CONCEPTO, entendí que mi principal obstáculo para proyectar buena imagen es la vergüenza, vergüenza de mis errores pasados, vergüenza de ser diferente a los demás, vergüenza de las mentiras que me han dicho y he creído. También aprendí que es imposible complacer a todos y no conviene sobrevalorar cuanto los demás piensan de mí; ¡ni siquiera debería regirme por la opinión de mis amigos, familiares o pareja!; mejor debo aceptarme y amarme como Dios me acepta y me ama. Ahora sé que soy única en el mundo, ¡original!, bella por el simple hecho de ser yo misma. También aprendí que debo poner límites ante las afrentas de gente envidiosa o agresiva y hasta puedo enemistarme con quienes no me respeten —consulta el papel; lee el siguiente punto—, en el módulo de AUTO-CUIDADO, aprendí que debo cuidar mi cuerpo, hacer ejercicio a diario, no tener vicios, esmerarme en vestir bien, arreglarme, maquillarme, ser limpia y cuidar la pulcritud de mi apariencia, sobre todo de mi cabello. También aprendí que las personas me califican principalmente mediante sus sentidos de la vista y del oído; que mis palabras dan la mayor información sobre mí; que mi vocabulario, tono de voz y forma de expresarme, determinan ante el mundo la clase de persona que soy. Aprendí que decir mentiras me mete en problemas infinitos además de robarme el atributo más valioso que puedo atesorar: *credibilidad*. También aprendí que no debo ser arrogante, presumida o soberbia, pero tampoco deprimida, sometida o achicada, pues la personalidad más impactante se encuentra en el punto exacto entre la humildad y la confianza. Nada fácil. Por último —vuelve a leer su hoja y sonríe un poco—, ya voy a terminar —se excusa—; en el módulo de AUTO-SUSTENTO, aprendí cómo las personas más extraordinarias son amigables, generosas y compasivas con los necesitados, aprendí que el servicio a los demás embellece; entendí por otro lado cómo la belleza hueca es desechable, cómo para desarrollar una personalidad bella necesito leer más libros, cultivar mi inteligencia y convertirme en una persona de verdadera sustancia. Hay un asunto más que no nos han enseñado, pero que leí en la carpeta de trabajo: las personas con mejor imagen proyectan paz en sus miradas y esa paz no proviene de atuendos, joyas o excentricidades, sino de un espíritu suave y tranquilo inspirado por la presencia de Dios en sus vidas... Bueno. Disculpen tanta teoría, pero consideré importante decirla. Lo que ocurrió con Tábata sólo me hizo reforzar cada uno de estos puntos.

Regresa a su sitio. Leoncio la felicita por habernos hecho un resumen fiel del curso; ahora sí, es el turno de Mendel. Esta vez, parece más resuelto. Avanza al frente, con su peculiar forma de caminar y dice:

—Los feos no nacen, se hacen —la declaración despierta un murmullo que aunque trata de convertirse en burlón, muere por sí solo—. Ningún niño nace con vergüenza —discurre—. Nadie nace arrogante, mentiroso, rebelde o miedoso. Eso se aprende. Todos los bebés son bellos, aún los bebés enfermos. Un niño con síndrome de Down es hermoso, lo dicen casi siempre sus padres después de unos años de convivir con ese niño. Pero mis papás no vieron la belleza que había en mí, y terminé siendo el Feo. *Hacía como si* lo fuera, me convencí de mi fealdad y convencí a los demás de ella. Pero la fealdad duele; duele mucho, y cuando el dolor se combina con la culpa, sobrevienen desgracias. Cerca de mí comenzaron a ocurrir muchas. En este campamento estuve a punto de morir tres veces: la primera, en el pantano; la segunda, en el bote de basura; la tercera, cuando Tábata me puso una navaja en el cuello. Pero ya estoy cansado de ver a la muerte de cerca, ya no quiero invocarla ni coquetear con ella nunca más. Ahora he decidido que quiero vivir, porque mientras tenga vida todo puede resolverse; la vida es nuestro mayor don. Ayer en la noche me desahogué y lloré. Eso me hizo sentir ligero. Me di cuenta de que al hablar nuestras culpas nos liberamos de ellas. Gracias a todo lo que ha sucedido, me he visto obligado a hablar, pero todavía tengo una culpa que me agobia —titubea como dándose la oportunidad de arrepentirse, pero no alarga mucho la pausa y lo dice de una vez—. Todos los niños son hermosos. Yo estaba seguro de que mi bebé lo sería. ¡Cómo quería que naciera!, sólo que su madre no quiso. Tábata se embarazó de mí. A los dos meses de embarazo, abortó a nuestro hijo.

Mendel ha probado cerrar los párpados, pero no tarda en volverlos a abrir. La salina de sus lagrimales le escoce la conjuntiva.

Los asistentes de la plenaria escuchamos su exposición procurando no denotar con descaro asombro o incredulidad.

—Usted me recomendó que lo dijera —se dirige a mí como si pudiera poner en congelamiento al resto de su audiencia...

—Sí, Mendel. Gra... gracias por la confidencia.

—Bueno —descongela a su público y se dirige a él—. Hay algo más que quiero decir. Kidori me enseñó que nunca podré limpiar mi imagen de adentro hacia fuera, tal como aprendimos aquí, hasta que no perdone de corazón; hacer eso es muy difícil, pero de veras, ya no quiero ser el Feo. Así que he decidido perdonar. Entiendo que mi papá es un hombre con traumas y secuelas de un pasado difícil y que seguramente ha sufrido mucho por sus propios errores; entiendo que mi madre fue una mujer maltratada, confundida y vejada; se equivocaron mucho porque sufrieron mucho. No quiero juzgarlos más ni guardarles rencor. He decidido perdonarlos. También a Tábata... Y como ustedes la conocieron y convivieron de cerca con ella, quiero pedirles de igual forma que hagan una reflexión para perdonarla. A todos nos mintió, a algunos nos usó y a otros nos lastimó profundamente, pero ninguno de nosotros tenemos idea de lo que Tábata vivió en carne propia. Cuando la recuerden no piensen en ella como la loca, malvada o asesina, sino como en una mujer confundida y necesitada de ayuda. Nuestra personalidad e imagen debería ser limpia, exenta de arrugas y estragos por odios secretos o negros deseos de revancha. Así que perdonen. No es fácil, insisto, pero yo he decidido hacerlo. Así que por favor, nunca más me vuelvan a decir el Feo. Cambiaré físicamente, se los prometo: me vestiré mejor, me arreglaré muy bien, caminaré erguido, y sobre todo, dejaré atrás, sepultado, para siempre, todo lo que me avergonzaba. Quiero empezar una nueva vida.

No sé quién aplaude primero, pero después de las primeras palmas, toda la audiencia se pone de pie y ovaciona. Kidori se acerca a Mendel y lo abraza. Disfruto como pocas cosas en mi vida ese momento; Leoncio y Gaviota permiten que se alargue.

Ya me duelen las palmas de aplaudir cuando el líder levanta un brazo.

—Han llegado los autobuses —indica—. Vayan a su cabaña por un traje de baño y una toalla. Regresen en cinco minutos. Tenemos la última actividad del campamento. Visitaremos el lugar más increíble que se puedan imaginar.

37

Apreciado doctor Badillo:

Cuando me encomendó un reporte escrito sobre los sucesos y actividades del campamento al que me enviaba, quizá no se imaginó que le entregaría un libro como éste. Yo tampoco lo imaginé. Le pido una disculpa si tergiversé su encargo.

Anexo fotografías que tomó Leoncio al inicio y al final del programa. Quizá también podrá colgarlas en su despacho para comparar las expresiones de *antes* y *después*. Por supuesto, en la última imagen grupal falta una alumna.

Respecto a la evaluación que me pidió de las actividades, debo decirle que todas me parecieron técnicamente adecuadas, pero la última superó por mucho a las demás.

Jamás imaginé la existencia de un sitio así. Fue difícil acceder. Hicimos dos horas de camino por lugares en donde no creímos que fuera posible pasar, pero cuando llegamos y vimos esas pozas de aguas termales en medio de la selva, no lo podíamos creer; nos sumergimos en ellas muy despacio y algunos de los chicos se pusieron a cantar. Eran verdaderos jacuzzis naturales. Yo sólo pensaba en una cosa: ¿A qué preciosa y caprichosa mente se le ocurrió pincelar los detalles de ese cuadro?

Inmerso en las pequeñas albercas humeantes de agua caliente y cristalina, miré alrededor y me sentí abrazado por la belleza de la Creación. Aunque estuve enojado con Dios, ahí no pude más que reconocer su amor y su poder. Lo percibí como un amigo que no me pone nervioso ni me lleva al estrés, sino que me calma con su simple presencia; un amigo junto a quien yo querría permanecer mucho tiempo. Y experimenté paz. Y distinguí la paz reflejada en el rostro de los muchachos a mi alrededor. Ellos, también (hasta los más escépticos) percibieron lo mismo que yo; se doblegaron. Y cambió para siempre en mi mente el concepto de *belleza.*

Pensé en los hogares de hoy. En la gran mayoría de ellos hay división, perversión, discusión, engaños, maltratos, vicios. Los problemas familiares secretos son el pan diario de los individuos. Escasísimas personas, cuando llegan a su casa, pueden realmente descansar y sentir paz, porque la paz sólo proviene de la presencia de Dios. Y Dios no vive en la mayoría de las familias porque la gente le ha dado la espalda.

Envueltos en un pragmatismo materialista, nos hemos creído autosuficientes para dirigir el mundo; así, hemos acabado dañándonos unos a otros y originando consecuencias desastrosas.

El peor absurdo de la modernidad es éste: La gente se ha enemistado con Dios porque le ha echado la culpa de *no hacer nada* frente a las secuelas provocadas por los actos malvados de la misma gente.

Estando en las pozas termales, rodeado de esa belleza natural, comprendí cuán equivocados están los individuos calculadores y ambiciosos, hundidos en su propia degradación, atacándose entre sí con saña, arrebatándose bienes y privilegios, esgrimiendo insistentes la bandera de que Dios no existe.

Pensé: ¿Qué acaso están ciegos?

Lo más bello que he visto en mi vida es un atardecer, una cascada, una montaña, una nube, una flor, un lago cristalino, la hoja de un árbol, el océano. ¿Y quién creó todo eso? Pero aún por sobre la infinitud de la naturaleza no he visto nada más bello que la sonrisa de un bebé, los ojos de mis hijos, el cuerpo de mi amada... ¡Las personas somos bellas por definición! Los médicos se asombran del poder de recuperación del organismo humano y las madres se preguntan cómo puede un niño crecer en su vientre. Nos quedamos boquiabiertos ante la explicación del funcionamiento de nuestro corazón o nuestro cerebro. Y todo surge de la misma fuente.

Viendo las cosas como realmente son, cada uno de nosotros tenemos belleza. La que nos dio el Creador. Esas características únicas que nos distinguen a cada uno, nos fueron dadas, es decir, son un don, un regalo, y en todo regalo hay una intención amorosa del dador.

Kidori, Mendel y yo, estuvimos un buen rato enlazados por la espalda. Platicamos sobre Oscar y lloramos su muerte por última vez. Decidimos dejarlo ir. El mejor amigo de Mendel, el más grande amor de Kidori, y mi sobrino favorito, al fin descansó en paz.

Gracias, doctor Badillo, por enviarme al campamento a pesar de mis protestas. Gracias, porque mi corazón sanó. Gracias porque al final también obtuve lo más valioso que ningún ser humano puede tener. *Paz.*

Gracias porque comprendí que aún en medio de problemas y circunstancias adversas, podemos tener esa paz. A todos nos hace falta. Lo increíble es que no hay forma de comprarla o ganársela.

La paz es un regalo.

Jesucristo dijo:

«Les dejo un regalo: paz en su mente y en su corazón. Y la paz que yo doy es un regalo que el mundo no puede dar. Así que no se angustien ni tengan miedo».[15]

El mundo será distinto cuando aceptemos ese regalo y decidamos estar verdaderamente cerca de Dios. Él nos dará un corazón nuevo, una mente nueva y el poder para usarlos correctamente. Así, y sólo así, experimentaremos la belleza que perdura. La luz de Dios estará en nosotros. *Y todos lo notarán.*

Doctor Badillo; si considera la posibilidad de que el presente trabajo escrito trascienda las fronteras de la universidad, no olvide recomendar la propagación del mensaje a gran escala. Dígales a los lectores que se conviertan en una fuente de difusión de lo que ocurrió en ese campamento. Muchas personas, al enterarse, quizá adquieran un nuevo enfoque para su personalidad, otra visión para su imagen, y un mejor propósito para su vida; tal como me ocurrió a mí.

Le envío un afectuoso abrazo, mis respetos y admiración.

Atte.
El autor.

REFERENCIAS

1. Isaías 53,2. LBLA. Versión de las Américas.

2. Claudia Noseda. *Antiestrategias: Tácticas para el buen vivir*. Editorial del Nuevo Extremo. Argentina, 2005.

3. Isaías 3,24. NC. Versión Nácar Colunga.

4. Isaías 2,22. BL. Versión Latinoamericana.

5. Lucas 19,45; Juan 2,13; Mateo 21,12. JER. Versión Jerusalem.

6. Marcos 6,11; Lucas 9,3; Mateo 10,14. NC. Versión Nácar Colunga.

7. Mateo 10,16. DHH. Versión Dios Habla Hoy.

* Inicio de capítulo 20: Este punto es la mitad del libro; sitio en el que puede aplicarse la garantía de calidad Diamante. Ver solapa.

8. Ikram Antaki Akel. *Grandes temas / Arte*. Joaquín Mortiz. 2002.

9. Proverbios 11,22. DHH. Versión Dios Habla Hoy.

10. Gabriel Zaid. *Los demasiados libros*. Grupo Océano, 2004.

11. Salmo 34,5. RV. Versión Reina Valera.

12. Filipenses 1,20. Parafraseado. NVI. Nueva Versión Internacional.

13. Isaías 54,4. NVI. Nueva Versión Internacional.

14. Proverbios 6,16. DHH. Versión Dios Habla Hoy.

15. Juan 14,27. TLA. Traducción al Lenguaje Actual.

IMPRESO EN MÉXICO / PRINTED IN MEXICO

Este libro se terminó de imprimir en abril de 2011

en Quad/Graphics Querétaro, S.A. de C.V.

Lote 37 S/N Fracc. Industrial La Cruz, Querétaro, C.P. 76240

ESD 2da-21-0-M-15-04-11